Le dessert se fait léger

MANON ROBITAILLE Dt.P. ET DANIEL LAVOIE Dt.P.,M.Sc.

Remerciements :

Nous aimerions remercier Fabiola Masri, pour avoir cru en notre projet, Marie-Claire Barbeau Dt.P., nutritionniste à Diabète Québec, pour la révision du manuscrit, ainsi que Johanne Bernier Dt.P. et Lise Labonté Dt.P., nutritionnistes aux laboratoires Abbott, pour l'aide apportée à la réalisation de ce projet.

Nous tenons aussi à remercier tous ceux et celles qui, de près ou de loin, ont contribué à la réalisation de cet ouvrage.

Diabète Québec
8550, boul. Pie 1X, bureau 300
Montréal, (Québec)
H1Z 4G2
(514) 259-3422
(514) 259-9286
commandes@diabete.qc.ca

ISBN 2-9804301-5-3
(publié précédemment par les Éditions Santé à la carte, ISBN 2-9805436-2-4)
Dépôt légal- Bibliothèque nationale du Québec, 2003
Dépôt légal- Bibliothèque nationale du Canada, 2003

Imprimé au Canada

1. LE DESSERT SE FAIT LÉGER... POUR QUI ?

1.1 LE LIVRE QUI CHANGE LA FAÇON DE VOIR LES DESSERTS !

Les recettes de ce livre sont des outils intéressants pour une saine alimentation. Leur qualité vient du fait qu'elles ont été conçues selon des critères nutritionnels exigeants. Utilisez ce livre pour préparer des desserts ou des collations dont vous connaîtrez avec exactitude la valeur nutritive d'une portion, ou simplement pour le plaisir de savourer un dessert léger. Les diabétiques y verront un outil formidable pour un meilleur contrôle de la glycémie (le sucre dans le sang). D'autres utiliseront Le dessert se fait léger pour changer leurs habitudes alimentaires afin d'atteindre un poids santé. Mais vous pouvez également l'utiliser pour diminuer votre taux de cholestérol sanguin, augmenter votre consommation de fibres et de calcium, ou tout simplement pour le plaisir de bien manger.

Les besoins des gens changent. Nous avons inventé et réinventé des desserts et des collations pour répondre aux exigences d'aujourd'hui. Les nouvelles connaissances en nutrition nous permettent de penser que notre manière de manger peut avoir une influence significative sur la santé et la longévité. Voici donc une façon agréable de les mettre en pratique.

1.2 CARACTÉRISTIQUES GÉNÉRALES DES RECETTES

Toutes les recettes :

- sont réduites en matières grasses ;
- contiennent entre 10 et 35 grammes de glucides (tous les types de sucres) par portion, incluant le sucre ajouté ;
- ne contiennent pas d'édulcorants artificiels ;
- ne contiennent pas ou contiennent peu de cholestérol et sont faibles en gras saturés ;
- sont le plus souvent à base de fruits, de produits laitiers, de grains entiers ;
- vous procurent un excellent apport en éléments nutritifs essentiels ;
- sont savoureuses, variées et faciles à préparer ;
- conviennent en toutes occasions, pour le plaisir de tous.

Tout au long de ce recueil de recettes, vous trouverez des messages qui vous renseigneront sur la nutrition.

2. LE DESSERT SE FAIT LÉGER... POUR LES DIABÉTIQUES

2.1 L'ALIMENTATION, LE SUCRE ET LE DIABÈTE

Le diabète se caractérise par une élévation trop importante de la glycémie, c'est-à-dire du taux de sucre dans le sang. L'alimentation est la pierre angulaire du traitement de cette maladie. Les glucides représentent l'ensemble de tous les types de sucres présents dans les aliments (voir tableau 1). Ils sont le carburant par excellence de l'organisme. Il ne faut donc pas les éliminer de l'alimentation mais plutôt éviter les excès, en contrôler la quantité et les répartir adéquatement dans la journée. À cet effet, les recommandations pour les personnes diabétiques sont les mêmes que pour la population en général, c'est-à-dire que les glucides doivent constituer la principale source d'énergie consommée.

On a longtemps cru que les sucres concentrés comme le sucre blanc, le sirop d'érable, la cassonade, le miel ou la mélasse ne devaient pas être consommés par les personnes diabétiques. Des études récentes ont démontré que c'est plutôt la quantité totale de tous les types de sucres qu'il est important de gérer et non une sorte de sucre en particulier. Ces nouvelles avenues permettent à la personne diabétique de jouir des plaisirs de la table, et les

TABLEAU 1 : OÙ TROUVE-T-ON LES GLUCIDES ?

SOURCES DE GLUCIDES	TYPES DE GLUCIDES
Les produits céréaliers Pain, pâtes alimentaires, riz...	Amidon
Les fruits et leurs jus...	Fructose
Certains légumes Surtout les pommes de terre, le maïs et les pois...	Amidon
Certains produits laitiers Lait et yogourt...	Lactose
Légumineuses Haricots blancs, haricots rouges, pois chiches, lentilles...	Amidon
Sucreries * Sucre blanc, sucre brun, confitures, miel, sirop, gelée...	Sucrose, fructose

* Cette catégorie étant pauvre en éléments nutritifs, il est recommandé de consommer les sucreries avec modération et de façon occasionnelle seulement.

desserts en font souvent partie. La majorité des desserts cuisinés à partir d'une recette traditionnelle sont souvent riches en sucre et en gras, ce qui rend leur consommation problématique. Les personnes diabétiques étant plus à risque de développer des maladies cardiovasculaires, un apport excessif en gras n'est pas recommandé.

Cet ouvrage rassemble des recettes pour les personnes diabétiques qui veulent se sucrer le bec sans compromettre le contrôle de leur glycémie, tout en surveillant leur apport en gras.

2.2 LES ÉDULCORANTS

Au Canada, plusieurs édulcorants artificiels sont autorisés, par exemple l'aspartame, la saccharine, le sucralose, etc. Considérés comme des additifs alimentaires, ils ajoutent un goût sucré aux aliments mais affectent peu la glycémie. Ils sont sans danger pour la santé, mais il est recommandé de les utiliser avec modération. Ces édulcorants n'étant pas des ingrédients présents dans tous les garde-manger, nous n'en avons pas inclus dans les recettes de ce livre. Vous pouvez, si désiré, ajouter un peu de ces édulcorants aux recettes pour accentuer le goût sucré, sans pour autant changer la valeur nutritive des portions consommées.

2.3 REMPLACER LE SUCRE DE TABLE PAR LE FRUCTOSE, EST-CE AVANTAGEUX ?

Le fructose est un sucre que l'on retrouve principalement dans les fruits. Il est aussi possible de s'en procurer dans les boutiques d'aliments naturels et dans certains marchés d'alimentation. Il a un pouvoir sucrant plus élevé que le sucre blanc. En effet, une quantité moindre de fructose peut remplacer le sucre dans une recette.

Cependant, tout comme les autres sucres, le fructose procure 17 kilojoules (4 calories) par gramme. Toutefois, il provoque, lors de son ingestion, une plus petite élévation de la glycémie (taux de sucre dans le sang). Malgré cela, les associations canadiennes et américaines de diabète s'entendent pour dire que le fructose ne doit pas être consommé en quantité excessive. Ceci peut se produire lorsqu'il est utilisé dans la préparation de recettes et de mets. Une ingestion importante peut nuire au bon contrôle des lipides sanguins (cholestérol total, cholestérol-LDL) chez les personnes vulnérables et peut aussi causer la diarrhée.

À la lumière des recherches actuelles, il n'apparaît pas avantageux de remplacer le sucre blanc par le fructose de façon régulière et systématique. Il est plutôt recommandé que les sucres ajoutés (tels le sucre blanc, la cassonade, le fructose, etc.) constituent au maximum 10 % des besoins énergétiques quotidiens d'un individu (soit approximativement entre 35 et 50 grammes par jour) afin de ne pas nuire au contrôle du diabète et des lipides sanguins.

3. Le dessert se fait léger... pour le cœur !

3.1 L'ALIMENTATION ET LA SANTÉ CARDIAQUE

Pour la santé du cœur, la principale recommandation alimentaire est de diminuer la consommation totale de gras, surtout les gras saturés et les gras trans. Leur consommation excessive peut entraîner une élévation du taux de cholestérol sanguin. Sachez que le cholestérol contenu dans les aliments a peu d'effet sur le cholestérol sanguin. En fait, il s'agit de favoriser l'ingestion modérée de gras polyinsaturés et monoinsaturés. De plus, les antioxydants peuvent jouer un rôle favorable pour la santé cardiaque; les fruits et les légumes en sont riches, et les huiles végétales en contiennent également.

3.2 OÙ TROUVE-T-ON LES BONS GRAS ET LES MAUVAIS GRAS ?

Les gras saturés, tout comme le cholestérol, se trouvent dans les aliments d'origine animale tels les fromages, le lait (sauf écrémé), les yogourts (sauf ceux sans gras), les œufs, les viandes, les volailles, les poissons ainsi que le beurre et le saindoux. Les huiles de coco et de palme sont exempts de cholestérol car elles sont d'origine végétale, mais elles renferment tout de même des gras saturés. Il en est de même pour les huiles végétales hydrogénées et le shortening, mais celles-ci renferment en plus des gras trans probablement tout aussi néfastes pour la santé cardiaque que les gras saturés (tableau 2).

Tableau 2 : Les sources de gras dans l'alimentation

TYPES DE MATIÈRES GRASSES	SOURCES ALIMENTAIRES
Gras monoinsaturés	Huile d'olive, huile de canola, certaines margarines molles non hydrogénées, noix, graines
Gras polyinsaturés	Huile de tournesol, huile de soya, certaines margarines molles non hydrogénées, poisson, noix, graines
Gras saturés	Produits laitiers, viandes, huile de palme et de coco
Gras trans	Shortening, huiles végétales hydrogénées ou partiellement hydrogénées, margarines qui ne portent pas la mention « non hydrogénée »

4. LE DESSERT SE FAIT LÉGER... EN PRÉVENTION DU CANCER !

4.1 ALIMENTATION ET CANCER

On estime qu'environ 35 % des cancers seraient associés à l'alimentation. De saines habitudes alimentaires seraient donc un moyen facile et agréable de prévenir cette terrible maladie. Qu'est-ce qui ne va pas dans l'alimentation de la plupart des gens ?

- une trop grande consommation de matières grasses ;
- une ingestion excessive d'énergie (calories, kilojoules), ce qui cause l'obésité ;
- des excès d'alcool ;
- un manque de fibres alimentaires et d'antioxydants contenus principalement dans les légumes, les fruits et les produits céréaliers de grains entiers.

4.2 QUELQUES RECOMMANDATIONS SIMPLES À METTRE EN APPLICATION

- Mangez une grande variété d'aliments. De cette façon, vous maximisez vos chances de consommer tous les éléments nutritifs essentiels au maintien de la santé. Essayer de nouvelles recettes et de nouveaux aliments constitue une manière facile et agréable de varier votre alimentation. Ce livre vous donnera une foule d'idées de desserts à base de fruits et de produits céréaliers de grains entiers. Ces aliments, toujours faibles en gras, contiennent des fibres alimentaires (tableau 3) et des antioxydants nécessaires à la préven-

TABLEAU 3 : LES SOURCES DE FIBRES ALIMENTAIRES

TYPE DE FIBRES	SOURCES PRINCIPALES	RÔLES
Solubles	son d'avoine flocons d'avoine farine d'avoine légumineuses (pois secs, haricots blancs, lentilles, pois chiches, etc.) fruits riches en pectine (pommes, fraises, agrumes, etc.) orge psyllium	favorisent la diminution du taux de cholestérol dans le sang rôle incertain sur le contrôle du sucre dans le sang
Insolubles	son de blé aliments faits de farine de grains entiers (pain de blé entier, céréales, riz brun, etc.) fruits et légumes avec la pelure	aident à contrôler et à prévenir certains problèmes intestinaux comme la constipation jouent un rôle dans la prévention de certains types de cancer (côlon)

tion de plusieurs types de cancer. Il est recommandé de consommer entre 25 et 35 g de fibres par jour, provenant de sources variées.

- Dans votre assiette, donnez une plus grande place aux produits céréaliers de grains entiers, aux légumes et aux fruits : ceci laisse moins de place pour les viandes et les aliments riches en gras.
- Parmi les produits laitiers, optez pour les plus maigres. Ceux écrémés ou très faibles en gras constituent la base de plusieurs recettes qui sont proposées dans ce livre. Ces recettes vous aideront à inclure dans votre menu le minimum de 2 portions de lait et de produits laitiers recommandées par le Guide alimentaire canadien pour manger sainement.

TABLEAU 4 : LE GUIDE ALIMENTAIRE CANADIEN POUR MANGER SAINEMENT

	NOMBRE DE PORTIONS RECOMMANDÉ PAR JOUR	EXEMPLE D'UNE PORTION
PRODUITS CÉRÉALIERS	5 à 12	1 tranche de pain 3/4 tasse (30 g) de céréales prêtes à servir 3/4 de tasse (175 ml) de céréales chaudes 1/2 bagel, pain pita ou petit pain 1/2 tasse (125 ml) de pâtes alimentaires ou riz après cuisson
LÉGUMES ET FRUITS	5 à 10	1 légume ou fruit de grosseur moyenne 1/2 tasse (125 ml) de légumes ou fruits frais, surgelés ou en conserve 1 tasse (250 ml) de laitue 1/2 tasse (125 ml) de jus
PRODUITS LAITIERS	Enfant de 4 à 9 ans : 2 à 3 Jeune de 10 à 16 ans : 3 à 4 Jeune de 10 à 16 ans : 3 à 4 Adulte : 2 à 4	1 tasse (250 ml) de lait 50 g de fromage 3/4 de tasse (175 g) de yogourt
VIANDES ET SUBSTITUTS	2 à 3	50 à 100 g de viandes, volailles ou poissons 1 à 2 œufs 1/2 à 1 tasse (125 à 250 ml) de légumineuses 1/3 de tasse (100 g) de tofu 2 c. à table (30 ml) de beurre d'arachide

5. LE DESSERT SE FAIT LÉGER... INDIQUE LA VALEUR NUTRITIVE !

5.1 LES VALEURS NUTRITIVES DES SYSTÈMES D'ÉCHANGES UTILISÉS

Pour répondre aux différentes exigences des utilisateurs de ce livre, nous avons indiqué la valeur nutritive d'une portion de chaque dessert selon 4 méthodes faciles à consulter.

1) Les portions du Guide alimentaire canadien pour manger sainement : consultez le Guide alimentaire canadien pour manger sainement inclus dans le livre (tableau 4).
2) Le système d'échanges de Diabète Québec et de l'American Diabetes Association (ADA).
3) La méthode des carrés de sucre : 1 carré de sucre = 5 grammes de glucides
4) La méthode des portions d'aliments sucrés : 1 portion d'aliment sucré = 15 grammes de glucides. Exemples : une tranche de pain, un fruit, etc.

Nous avons également cru bon d'ajouter la teneur en énergie (calories, kilojoules) et le nombre de grammes de glucides, de matières grasses, de protéines et de fibres.

Les valeurs nutritives de toutes les recettes ont été calculées avec les ingrédients suivants : lait écrémé, margarine non hydrogénée, yogourt sans gras, huile de canola, œuf moyen.

TABLEAU 5 : SYSTÈME D'ÉCHANGE DE DIABÈTE QUÉBEC ET DE L'ADA

CHOIX	GLUCIDES	PROTÉINES	GRAS	KILOJOULES	CALORIES
Viandes et substituts	0 g	8 g	3 g	250	59
Féculents	15 g	2 g	0 g	300	70
Fruits	15 g	0 g	0 g	250	60
Légumes	5 g	2 g	0 g	105	25
Lait écrémé	12 g	8 g	0 g	330	80
Lait 1 %	12 g	8 g	2 g	420	100
Lait 2 %	12 g	8 g	4 g	500	120
Lait entier	12 g	8 g	8 g	670	160
Matières grasses	0 g	0 g	5 g	190	45
Aliments avec sucre ajouté	15 g	0 g	0 g	250	60
Aliments de faible valeur énergétique	moins de 5 g	0 g	0 g	moins de 65	moins de 9

6. LE DESSERT SE FAIT LÉGER... UTILISE DES UNITÉS DE MESURE FACILES À UTILISER !

6.1 SYMBOLES UTILISÉS :

g	gramme
ml	millilitre
L	litre
T	tasse
c à t	cuillerée à thé
c à T	cuillerée à table
°C	degrés Celsius
°F	degrés Fahrenheit
oz	once

6.2 ÉQUIVALENCES UTILISÉES POUR LE SYSTÈME MÉTRIQUE :

MESURES	**TEMPÉRATURES**
5 ml . . .1 c à t	150°C . .300°F
15 ml . .1 c à T	160°C . .325°F
30 ml . .1 once	180°C . .350°F
60 ml . .1/4 T	190°C . .375°F
80 ml . .1/3 T	200°C . .400°F
160 ml 2/3 T	220°C . .425°F
180 ml .3/4 T	235°C . .450°F
250 ml .1 T	

6.3 LOGICIEL UTILISÉ POUR CALCULER LA VALEUR NUTRITIVE DES RECETTES :

Food Smart, version 2,5

LES RECETTES

SHORTCAKE AUX FRAISES

80 ml (1/3 T) de margarine
125 ml (1/2 T) de sucre
5 ml (1 c à t) de vanille
375 ml (1 1/2 T) de farine blanche
20 ml (4 c à t) de poudre à pâte
pincée de sel
125 ml (1/2 T) de farine de blé entier
250 ml (1 T) de lait écrémé
3 blancs d'œufs
750 ml (3 T) de fraises

- Bien mélanger ensemble la margarine, 60 ml (1/4 T) de sucre et la vanille.
- Tamiser ensemble la farine blanche, la poudre à pâte et le sel. Ajouter la farine de blé entier. Incorporer au mélange de margarine en alternant avec le lait.
- Battre les blancs d'œufs en neige, ajouter le reste du sucre. Incorporer à la pâte en pliant.
- Mettre dans des moules à muffins vaporisés d'enduit végétal antiadhésif.
- Cuire au four à 180ºC (350ºF) pendant 35 minutes ou jusqu'à ce qu'un cure-dent introduit dans la pâte ressorte propre.

Au moment de servir, couper les gâteaux en deux dans le sens de l'épaisseur, déposer des fraises tranchées entre les 2 moitiés de gâteaux, recouvrir de garniture fouettée (voir recette page 115). Garnir de fraises sur le dessus.

RENDEMENT 12 GÂTEAUX

1 portion = glucides : 28,4 g, protéines : 4,1 g, matières grasses : 5,5 g, fibres : 2 g, kJ : 736,1, kcal : 176,1
Portions du guide alimentaire canadien = produits céréaliers : 1/2, légumes et fruits : 1/2
Échanges Diabète Québec = féculents : 1/2, fruits : 1/2, matières grasses : 1, aliments avec sucre ajouté : 1
Équivalents en carrés de sucre = 7 | **Portions d'aliments sucrés : 2**

Bien manger est un plaisir de la vie. Il faut savoir conserver ce plaisir tout en mangeant des aliments sains et nutritifs.

GÂTEAU ROULÉ

250 ml (1 T) de farine blanche à pâtisserie
2 ml (1/2 c à t) de poudre à pâte
1 ml (1/4 c à t) de sel
3 œufs
2 blancs d'œufs
160 ml (2/3 T) de sucre
60 ml (1/4 T) d'eau
5 ml (1 c à t) de vanille
125 ml (1/2 T) de confiture sans sucre ajouté ou 50 % moins de sucre
15 ml (1 c à T) de sucre à glacer

- Beurrer une plaque à biscuits de 39 1/2 cm (15 1/2 po) x 28 cm (11 po). Recouvrir de papier ciré, côté glacé sur le dessus. Vaporiser d'enduit végétal antiadhésif.
- Dans un bol, tamiser la farine, la poudre à pâte et le sel.
- Dans un autre bol, fouetter les œufs et les blancs d'œufs au batteur électrique jusqu'à ce qu'ils soient mousseux. Incorporer graduellement le sucre. Ajouter l'eau, la vanille et le mélange de farine. Battre à nouveau.
- Verser sur le papier ciré recouvrant la plaque à biscuits.
- Cuire à 190ºC (375ºF) pendant 12 à 15 minutes ou jusqu'à ce que le gâteau soit doré.
- Renverser le gâteau sur un linge propre et retirer le papier ciré.
- Enrouler le gâteau dans le linge en commençant par l'extrémité la plus étroite. Laisser refroidir complètement sur une grille.
- Dérouler et enlever le linge. Étendre la confiture et rouler à nouveau. Couper les bords durcis. Saupoudrer de sucre à glacer en utilisant un tamis.
- À l'aide d'un couteau bien aiguisé, couper en 8 tranches.

Vous pouvez verser un peu de coulis de fruits dans une assiette avant d'y déposer la tranche de gâteau.

RENDEMENT 8 PORTIONS

1 portion = glucides : 34,2 g, protéines : 4,2 g, matières grasses : 1,8 g, fibres : 0 g, kJ : 708,5, kcal : 169,5
Portions du guide alimentaire canadien = produits céréaliers : 1/2, viandes et substituts : 1/2
Échanges Diabète Québec = féculents : 1/2, aliments avec sucre ajouté : 1 1/2, viandes et substituts : 1/2
Équivalents en carrés de sucre = 7 | **Portions d'aliments sucrés : 2**

En revenant de l'épicerie, lavez et coupez les légumes qui doivent être utilisés en morceaux ou en bâtonnets et rangez-les au réfrigérateur dans des contenants hermétiques, sans eau, afin de préserver davantage leur valeur nutritive. Ils deviennent ainsi des aliments prêts à servir ou des ingrédients prêts à utiliser pour des recettes savoureuses ou des collations.

GÂTEAU AU FROMAGE

14 biscuits secs au thé

30 ml (2 c à T) de margarine fondue

1/3 du paquet de 250 g de fromage à la crème léger

500 ml (2 T) de fromage Quark ou Damablanc

80 ml (1/3 T) de sucre

5 ml (1 c à t) de vanille

15 ml (1 c à T) de jus de citron

60 ml (1/4 T) de lait

1 sachet de gélatine neutre

- Écraser les biscuits à l'aide d'un rouleau à pâte afin d'obtenir 180 ml (3/4 T) de biscuits réduits en chapelure. Mélanger avec la margarine fondue.
- Déposer dans un moule à charnières de 20 cm (8 po). Cuire à 160ºC (325ºF) pendant 8 à 10 minutes. Laisser refroidir.
- Dans un mélangeur ou un robot culinaire, mélanger les fromages, le sucre, la vanille et le jus de citron. Réserver.
- Dans un petit bol, déposer le lait et y saupoudrer le sachet de gélatine. Laisser gonfler environ 5 minutes. Ajouter 60 ml (1/4 T) d'eau bouillante et bien brasser.
- Ajouter la gélatine dissoute dans la préparation de fromage et mélanger à nouveau pendant près d'une minute.
- Déposer sur la croûte de biscuits refroidie et mettre au réfrigérateur pendant 2 heures.
- Servir avec un coulis de fruits (pp. 117, 118, 119) ou la sauce aux framboises (p. 113).

Rendement 8 portions

1 portion = glucides : 14,4 g, protéines : 11 g, matières grasses : 5,7 g, fibres : 0,1 g, kJ : 628,3, kcal : 150,3
Portions du guide alimentaire canadien = produits laitiers : 1 1/2
Échanges Diabète Québec = matières grasses : 1/2, viandes et substituts : 1, aliments avec sucre ajouté : 1
Équivalents en carrés de sucre = 3 | **Portion d'aliments sucrés : 1**

Pour la plupart des gens, une portion de viande de la grosseur d'un jeu de cartes est amplement suffisante pour un repas. Ajoutez plus de produits céréaliers et de légumes dans votre assiette.

BAGATELLE AUX BLEUETS

GÂTEAU

45 ml (3 c à T) de margarine
60 ml (1/4 T) de sucre
1 jaune d'œuf
250 ml (1 T) de farine à pâtisserie
10 ml (2 c à t) de poudre à pâte
125 ml (1/2 T) de lait
5 ml (1 c à t) de vanille
2 blancs d'œufs

FRUITS

300 g ou 500 ml (2 T) de bleuets décongelés, non égouttés

SAUCE

1 boîte de 385 ml (12,8 onces) de lait évaporé 2% m.g.
30 ml (2 c à T) de farine blanche
1 œuf
60 ml (1/4 T) de sucre
5 ml (1 c à t) de vanille

GÂTEAU

- Dans un grand bol, mélanger la margarine et 45 ml (3 c à T) de sucre. Ajouter le jaune d'œuf et bien mélanger.
- Dans un autre bol, mélanger la farine et la poudre à pâte. Incorporer au mélange de margarine en alternant avec le lait et la vanille.
- Battre les blancs d'œufs jusqu'à l'obtention de pics assez fermes en ajoutant le reste du sucre graduellement. Incorporer à la pâte en pliant.
- Étendre dans un moule de 20 cm x 20 cm (8 po x 8 po) vaporisé d'enduit végétal antiadhésif.
- Cuire à 180ºC (350ºF) pendant 20 à 25 minutes ou jusqu'à ce qu'un cure-dent introduit dans la pâte ressorte propre.
- Laisser refroidir.
- Couper en cubes d'environ 2,5 cm x 2,5 cm (1 po x 1 po). Déposer les cubes dans un moule carré de 20 cm x 20 cm (8 po x 8 po) ou répartir également dans 9 coupes à desserts.

FRUITS

- Répartir les bleuets et leur jus sur les cubes de gâteau.

SAUCE

- Dans un chaudron, bien mélanger le lait, la farine et l'œuf à l'aide d'un fouet. Incorporer le sucre et la vanille.
- Chauffer à feu doux-moyen. Brasser constamment jusqu'à épaississement.
- Transvider dans un plat pour laisser tiédir. Étendre sur les bleuets.

RENDEMENT 9 PORTIONS

1 portion = glucides : 31,7 g, protéines : 6,5 g, matières grasses : 5,9 g, fibres : 0,9 g, kJ : 850,6, kcal : 203,5
Portions du guide alimentaire canadien = produits céréaliers : 1/2, légumes et fruits : 1/2, produits laitiers : 1/2
Échanges Diabète Québec = féculents: 1/2, fruits : 1/2, lait : 1/2, matières grasses : 1, aliments avec sucre ajouté : 1
Équivalents en carrés de sucre = 6 | **Portions d'aliments sucrés : 2**

Pour avoir une alimentation saine, on recommande à un adulte de consommer environ 60 grammes de gras par jour pour une femme et 90 grammes par jour pour un homme.

GÂTEAU FRUITÉ À LA LIME

250 ml (1 T) de farine blanche
250 ml (1 T) de farine de blé entier
10 ml (2 c à t) de poudre à pâte
5 ml (1 c à t) de bicarbonate de soude
60 ml (1/4 T) de sucre
1 ml (1/4 c à t) de gingembre
1 œuf
5 ml (1 c à t) de vanille
175 g ou 180 ml (3/4 T) de yogourt nature
60 ml (1/4 T) d'huile végétale
125 ml (1/2 T) de lait
1 boîte de 398 ml (14 oz) de salade de fruits dans son jus, égouttée
5 ml (1 c à t) de zeste de lime
15 ml (1 c à T) de jus de lime

- Dans un bol, bien mélanger les farines, la poudre à pâte, le bicarbonate, le sucre et le gingembre.
- Dans un autre bol, battre l'œuf légèrement. Ajouter la vanille, le yogourt, l'huile, le lait, les fruits, le zeste et le jus de lime. Bien mélanger.
- Incorporer les ingrédients humides aux ingrédients secs pour humecter.
- Verser dans un moule de 20 cm x 20 cm (8 po x 8 po) vaporisé d'enduit végétal antiadhésif.
- Cuire à 180ºC (350ºF) pendant environ 45 minutes ou jusqu'à ce qu'un cure-dent introduit dans la pâte ressorte propre.
- Laisser refroidir et servir avec un coulis aux kiwis (p. 118).

RENDEMENT 12 PORTIONS

1 portion = glucides : 24,1 g, protéines : 4,2 g, matières grasses : 5,3 g, fibres : 2,0 g, kJ : 653,8, kcal :156,4
Portions du guide alimentaire canadien = produits céréaliers : 1, légumes et fruits : 1/2
Échanges Diabète Québec = féculents : 1, fruits : 1/2, matières grasses : 1
Équivalents en carrés de sucre = 5 | **Portion d'aliments sucrés: 1 1/2**

Le yogourt et le fromage, contrairement au lait, ne sont pas enrichis de vitamine D, essentielle à la formation des os. Alors pensez à boire du lait ou à préparer des recettes à base de lait.

GÂTEAU AUX FRAMBOISES ET AU CITRON

1 œuf

2 blancs d'œufs

250 ml (1 T) de lait évaporé 2 % m.g.

5 ml (1 c à t) de vanille

5 ml (1 c à t) de zeste de citron

15 ml (1 c à T) de jus de citron

60 ml (1/4 T) d'huile

250 ml (1 T) de farine blanche

250 ml (1 T) de farine de blé entier

80 ml (1/3 T) de sucre

10 ml (2 c à t) de poudre à pâte

5 ml (1 c à t) de bicarbonate de soude

300 g ou 500 ml (2 T) de framboises entières congelées ou fraîches

- Dans un bol, battre légèrement l'œuf et les blancs d'œufs. Ajouter le lait, la vanille, le zeste, le jus de citron et l'huile.
- Dans un autre bol, bien mélanger les farines, le sucre, la poudre à pâte et le bicarbonate. Ajouter les framboises pour bien les enrober de la préparation d'ingrédients secs.
- Incorporer le mélange d'ingrédients humides au mélange d'ingrédients secs pour bien humecter.
- Verser dans un moule rond à charnières de 20 cm (8 po) vaporisé d'enduit végétal antiadhésif.
- Cuire à 180ºC (350ºF) pendant environ 50 à 55 minutes ou jusqu'à ce qu'un cure-dent introduit dans la pâte ressorte propre.
- Servir seul ou avec 30 ml (2 c à T) de coulis de framboises (p. 119) ou de sauce aux framboises (p. 113).

RENDEMENT 12 PORTIONS

1 portion = glucides : 25,6 g, protéines : 5,2 g, matières grasses : 5,7 g, fibres : 2,6 g, kJ : 715,2, kcal : 171,1
Portions du guide alimentaire canadien = produits céréaliers : 1, légumes et fruits : 1/2
Échanges Diabète Québec = féculents : 1, fruits : 1/2, matières grasses : 1
Équivalents en carrés de sucre = 5 | **Portion d'aliments sucrés : 1 1/2**

Une bonne alimentation contribue à diminuer les risques de maladies cardiovasculaires, de cancer, d'obésité, d'ostéoporose, d'anémie, de caries dentaires et de certains troubles intestinaux.

GÂTEAU DES ANGES

250 ml (1 T) de farine blanche à pâtisserie
12 blancs d'œufs
5 ml (1 c à t) de crème de tartre
1/2 ml (1/8 c à t) de sel
5 ml (1 c à t) de vanille
180 ml (3/4 T) de sucre

- Dans un bol, tamiser la farine 2 fois.
- Dans un autre bol, battre les blancs d'œufs à l'aide d'un malaxeur jusqu'à ce qu'ils soient mousseux. Ajouter la crème de tartre, le sel et la vanille. Battre légèrement.
- Ajouter le sucre graduellement à la préparation de blancs d'œufs tout en fouettant jusqu'à l'obtention de pics mous, c'est-à-dire légèrement recourbés.
- Saupoudrer la farine tamisée sur les blancs d'œufs et incorporer, en pliant, à l'aide d'une spatule.
- Verser dans un moule à cheminée non graissé.
- Cuire à 160ºC (325ºF) pendant environ 1 heure ou jusqu'à ce que le gâteau rebondisse si on le presse légèrement du bout des doigts.
- Servir avec un coulis de fruits, si désiré.

RENDEMENT 12 PORTIONS

1 portion = glucides : 19,9 g, protéines : 3,9 g, matières grasses : 0,1 g, fibres : 0 g, kJ : 401,7, kcal : 96,1
Portions du guide alimentaire canadien = produits céréaliers : 1/2
Échanges Diabète Québec = féculents : 1/2, aliments avec sucre ajouté : 1
Équivalents en carrés de sucre = 4 | **Portion d'aliments sucrés : 1**

L'énergie (calories) nous provient exclusivement des glucides, des protéines, des matières grasses et de... l'alcool. Les glucides (sucres) et les protéines fournissent tous deux 17 kilojoules (4 calories) par gramme, les matières grasses 38 kilojoules (9 calories) par gramme et l'alcool 29 kilojoules (7 calories) par gramme.

GÂTEAU AUX CAROTTES

180 ml (3/4 T) de farine blanche
180 ml (3/4 T) de farine de blé entier
5 ml (1 c à t) de poudre à pâte
5 ml (1 c à t) de bicarbonate de soude
5 ml (1 c à t) de cannelle
1 ml (1/4 c à t) de muscade
2 ml (1/2 c à t) de gingembre
1 œuf
2 blancs d'œufs
60 ml (1/4 T) d'huile
80 ml (1/3 T) de sucre
250 ml (1 T) d'ananas broyés, dans leur jus, égouttés
5 ml (1 c à t) de vanille
250 ml (1 T) de carottes râpées
125 g ou 125 ml (1/2 T) de yogourt nature

- Mélanger les farines, la poudre à pâte, le bicarbonate et les épices. Réserver.
- Dans un autre bol, battre légèrement l'œuf et les blancs d'œufs. Ajouter l'huile et le sucre. Incorporer les ananas, la vanille, les carottes et le yogourt. Bien mélanger. Ajouter aux ingrédients secs et remuer.
- Verser la préparation dans un moule de 20 cm X 20 cm (8 po X 8 po) vaporisé d'enduit végétal antiadhésif.
- Cuire à 180ºC (350ºF) pendant environ 35 à 40 minutes ou jusqu'à ce qu'un cure-dent inséré au centre ressorte propre.

Si désiré, servir avec un glaçage fromagé à la vanille (p. 116)

RENDEMENT 16 PORTIONS

1 portion = glucides : 15,4 g, protéines : 2,6 g, matières grasses : 3,9 g, fibres : 1,2 g, kJ : 437,6, kcal : 104,7
Portions du guide alimentaire canadien = produits céréaliers : 1
Échanges Diabète Québec = féculents : 1, matières grasses : 1
Équivalents en carrés de sucre = 3 | **Portion d'aliments sucrés : 1**

Si vous réalisez que vous mangez souvent sans faim et sans fin, essayez de découvrir ce qui vous habite lorsque vous mangez sans que le besoin de nourriture se fasse sentir...

BROWNIES

1 œuf
2 blancs d'œufs
60 ml (1/4 T) d'huile
5 ml (1 c à t) de vanille
125 ml (1/2 T) de lait
310 ml (1 1/4 T) de farine blanche
5 ml (1 c à t) de poudre à pâte
125 ml (1/2 T) de cacao
160 ml (2/3 T) de sucre
45 ml (3 c à T) de noix de Grenoble râpées

- Battre l'œuf et les blancs d'œufs au malaxeur jusqu'à ce que le mélange soit mousseux. Ajouter l'huile, la vanille et le lait.
- Dans un autre bol, mélanger la farine, la poudre à pâte, le cacao et le sucre.
- Incorporer les ingrédients humides aux ingrédients secs. Étendre dans un moule de 20 cm x 20 cm (8 po x 8 po) vaporisé d'enduit végétal antiadhésif. Saupoudrer de noix de Grenoble râpées.
- Cuire à 180ºC (350ºF) pendant environ 20 à 25 minutes ou jusqu'à ce qu'un cure-dent inséré dans la pâte ressorte propre.
- Laisser refroidir avant de couper en morceaux.

Rendement 16 portions

1 portion = glucides : 18,0 g, protéines : 2,9 g, matières grasses : 4,9 g, fibres : 1,6 g, kJ : 504,9 , kcal : 120,8
Portions du guide alimentaire canadien = produits céréaliers : 1/2
Échanges Diabète Québec = féculents : 1/2, matières grasses : 1, aliments avec sucre ajouté : 1/2
Équivalents en carrés de sucre = 4 | **Portion d'aliments sucrés : 1**

La variété, c'est découvrir de nouveaux aliments, mais aussi apprêter différemment des aliments connus...

PETITS GÂTEAUX AU BEURRE D'ARACHIDE ET À LA BANANE

180 ml (3/4 T) de farine blanche

180 ml (3/4 T) de farine de blé entier

10 ml (2 c à t) de poudre à pâte

5 ml (1 c à t) de bicarbonate de soude

1 œuf

2 blancs d'œufs

25 ml (1 c à T + 2 c à t) d'huile

45 ml (3 c à T) de miel

2 ml (1/2 c à t) de vanille

1 petite banane écrasée

60 ml (1/4 T) de beurre d'arachide croquant

125 ml (1/4 T) de babeurre*

* Le babeurre peut être remplacé par 125 ml (1/2 T) de lait auquel on ajoute 10 ml (2 c à t) de vinaigre ou de jus de citron. Laisser reposer ce mélange pendant 10 minutes.

- Mélanger les farines, la poudre à pâte et le bicarbonate.
- Dans un autre bol, battre légèrement l'œuf et les blancs d'œufs. Ajouter l'huile, le miel et la vanille. Incorporer la banane écrasée et le beurre d'arachide. Bien mélanger. Verser dans la préparation d'ingrédients secs et ajouter le babeurre. Bien brasser.
- À l'aide d'une cuillère, verser le mélange dans des moules à muffins vaporisés d'enduit végétal antiadhésif ou tapissés de moules de papier.
- Cuire à 180ºC (350ºF) pendant environ 20 minutes ou jusqu'à ce qu'un cure-dent inséré au centre ressorte propre.

RENDEMENT 10 PETITS GÂTEAUX 1 portion = 1 petit gâteau

1 portion = glucides : 24 g, protéines : 5,5 g, matières grasses : 6,4 g, fibres : 2,0 g, kJ : 704,7, kcal : 168,6
Portions du guide alimentaire canadien = produits céréaliers : 1 1/2
Échanges Diabète Québec = féculents : 1 1/2, matières grasses : 1
Équivalents en carrés de sucre = 5 | **Portion d'aliments sucrés : 1 1/2**

L'instabilité du poids due à des régimes suivis à répétition peut affecter le métabolisme. Le corps conserve plus d'énergie et en brûle moins, rendant de plus en plus difficile la perte de poids mais facilitant la reprise. Finalement, il devient de plus en plus difficile de contrôler son poids et le sentiment d'échec devient de plus en plus lourd à porter.

GÂTEAU AU FROMAGE CHOCOLATÉ

180 ml (3/4 T) de chapelure de biscuits Oréo

30 ml (2 c à T) de margarine fondue

125 ml (1/2 T) de fromage cottage 1% m.g.

125 ml (1/2 T) de crème sure 1% m.g.

45 ml (3 c à T) de cacao

80 ml (1/3 T) de sucre

5 ml (1 c à t) de vanille

1 œuf

2 blancs d'œufs

22 ml (1 1/2 c à T) de farine blanche

2 demi-poires en conserve dans leur jus

- Mélanger la chapelure de biscuits Oréo à la margarine fondue. Verser dans un moule rond à charnières de 20 cm (8 po). Presser la préparation à l'aide d'une cuillère. Cuire à 180ºC (350ºF) pendant 8 à 10 minutes. Laisser refroidir.
- Mettre le fromage cottage dans un robot culinaire ou un mélangeur. Mélanger à basse vitesse jusqu'à consistance lisse. Transférer le fromage dans un bol. Y ajouter la crème sure, le cacao, le sucre et la vanille.
- Dans un autre bol, battre légèrement l'œuf et les blancs d'œufs. Ajouter à la préparation de fromage et de crème sure. Incorporer la farine au mélange. Étendre sur la croûte de biscuits Oréo.
- Cuire à 180ºC (350ºF) pendant 1 heure ou jusqu'à ce qu'un couteau inséré dans la pâte ressorte propre.
- Garnir de 2 demi-poires coupées en 8 tranches fines chacune.
- Pour décorer, saupoudrer légèrement de cacao, si désiré.

RENDEMENT 8 PORTIONS

1 portion = glucides : 22,4 g, protéines : 6,7 g, matières grasses : 5,0 g, fibres : 1,1 g, kJ : 655,8 , kcal : 156,9
Portions du guide alimentaire canadien = produits céréaliers : 1/2, produits laitiers : 1/2
Échanges Diabète Québec = féculents : 1/2, matières grasses : 1/2, viandes et substituts : 1, aliments avec sucre ajouté : 1
Équivalents en carrés de sucre = 4 | **Portion d'aliments sucrés : 1 1/2**

Pour bien manger, il n'est pas nécessaire de sacrifier le goût, les aliments peuvent être à la fois sains et remplis de saveurs. Essayez de nouvelles épices et fines herbes.

MUFFINS AUX ZUCCHINIS

250 ml (1 T) de farine blanche
125 ml (1/2 T) de farine de blé entier
125 ml (1/2 T) de son de blé
10 ml (2 c à t) de poudre à pâte
5 ml (1 c à t) de bicarbonate de soude
7 ml (1 1/2 c à t) de cannelle
1 ml (1/4 c à t) de muscade
2 ml (1/2 c à t) de clou de girofle
80 ml (1/3 T) de cassonade pressée
60 ml (1/4 T) de raisins secs
60 ml (1/4 T) de noix de Grenoble hachées
1 œuf
60 ml (1/4 T) d'huile
180 ml (3/4 T) de lait
5 ml (1 c à t) de vanille
500 ml (2 T) de zucchinis râpés

- Mélanger les farines, le son, la poudre à pâte, le bicarbonate et les épices. Ajouter la cassonade, les raisins et les noix.
- Dans un autre bol, battre l'œuf légèrement. Ajouter, en remuant, l'huile, le lait et la vanille. Incorporer les zucchinis. Bien mélanger. Verser dans le mélange d'ingrédients secs. Brasser pour humecter.
- À l'aide d'une cuillère, verser la préparation dans des moules à muffins vaporisés d'enduit végétal antiadhésif ou tapissés de moules en papier.
- Cuire à 180ºC (350ºF) pendant 20 à 25 minutes ou jusqu'à ce qu'un cure-dent inséré dans la pâte ressorte propre.

RENDEMENT 14 MUFFINS **1 portion = 1 muffin**

1 portion = glucides : 21,0 g, protéines : 3,6 g, matières grasses : 5,8 g, fibres : 2,4 g, kJ : 598,6, kcal : 143,2
Portions du guide alimentaire canadien = produits céréaliers : 1 1/2
Échanges Diabète Québec = féculents : 1 1/2, matières grasses : 1
Équivalents en carrés de sucre = 4 | **Portion d'aliments sucrés : 1**

Menez une vie active en faisant de l'exercice régulièrement. Ajoutez à cela des habitudes alimentaires saines et durables. Cela vous aidera à être bien dans votre peau et dans votre corps...

MUFFINS AUX BANANES

250 ml (1 T) de farine blanche
250 ml (1 T) de farine de blé entier
10 ml (2 c à t) de poudre à pâte
5 ml (1 c à t) de bicarbonate de soude
60 ml (1/4 T) d'huile
80 ml (1/3 T) de sucre
5 ml (1 c à t) de vanille
1 œuf
2 blancs d'œufs
3 petites bananes écrasées (environ 250 ml/1 T)
125 ml (1/2 T) de lait

- Mélanger les farines, la poudre à pâte et le bicarbonate. Réserver.
- Dans un autre bol, mélanger l'huile et le sucre. Ajouter la vanille.
- Battre légèrement l'œuf et les blancs d'œufs. Incorporer au mélange précédent. Ajouter les bananes écrasées et le lait. Incorporer dans le mélange d'ingrédients secs. Bien brasser.
- À l'aide d'une cuillère, verser la préparation dans des moules à muffins vaporisés d'enduit végétal antiadhésif ou tapissés de moules en papier.
- Cuire à 180ºC (350ºF) pendant 20 à 25 minutes ou jusqu'à ce qu'un cure-dent inséré dans la pâte ressorte propre.

RENDEMENT 14 MUFFINS 1 portion = 1 muffin

1 portion = glucides : 21,8 g, protéines : 3,1 g, matières grasses : 4,5 g, fibres : 1,6 g, kJ : 571,4, kcal : 136,7
Portions du guide alimentaire canadien = produits céréaliers : 1 1/2
Échanges Diabète Québec = féculents : 1 1/2, matières grasses : 1
Équivalents en carrés de sucre = 4 | **Portion d'aliments sucrés : 1 1/2**

Il n'y a pas de « mauvais » ni de « bons » aliments, mais certains d'entre eux, particulièrement riches en gras et/ou en sucre, doivent préférablement n'être consommés qu'occasionnellement car leur valeur nutritive est souvent pauvre.

MUFFINS AU SON D'AVOINE

375 ml (1 1/2 T) de son d'avoine
80 ml (1/3 T) de farine de blé entier
10 ml (2 c à t) de poudre à pâte
5 ml (1 c à t) de cannelle
60 ml (1/4 T) de cassonade pressée
125 ml (1/2 T) de lait
1 œuf
60 ml (1/4 T) d'huile
60 ml (1/4 T) de raisins secs

- Mélanger le son d'avoine, la farine, la poudre à pâte et la cannelle. Ajouter la cassonade. Bien brasser.
- Dans un autre bol, mélanger le lait, l'œuf battu et l'huile. Incorporer les raisins secs. Verser cette préparation sur les ingrédients secs. Brasser pour humecter.
- À l'aide d'une cuillère, verser le mélange dans des moules à muffins vaporisés d'enduit végétal antiadhésif ou tapissés de moules de papier.
- Cuire à 180ºC (350ºF) pendant 20 à 25 minutes ou jusqu'à ce qu'un cure-dent inséré dans la pâte ressorte propre.

RENDEMENT 12 MUFFINS 1 portion = 1 muffin

1 portion = glucides : 18,0 g, protéines : 3,5 g, matières grasses : 6,2 g, fibres : 2,4 g, kJ : 574,3, kcal : 137,4
Portions du guide alimentaire canadien = produits céréaliers : 1
Échanges Diabète Québec = féculents : 1, matières grasses : 1
Équivalents en carrés de sucre = 4 | **Portion d'aliments sucrés : 1**

Soyez à l'écoute de vos signaux corporels, mangez lorsque vous avez faim et cessez lorsque vous êtes rassasiés. Interrogez-vous sur les motifs qui vous incitent parfois à dépasser les limites.

MUFFINS AU CITRON ET AUX GRAINES DE PAVOT

180 ml (3/4 T) de farine blanche

250 ml (1 T) de farine de blé entier

5 ml (1 c à t) de poudre à pâte

5 ml (1 c à t) de bicarbonate de soude

60 ml (1/4 T) de cassonade pressée

10 ml (2 c à t) de graines de pavot

60 ml (1/4 T) de jus de citron

10 ml (2 c. à t) de zeste de citron

175 g ou 180 ml (3/4 T) de yogourt nature

1 œuf

60 ml (1/4 T) d'huile

1 ml (1/4 c à t) d'essence d'amande

- Mélanger les farines, la poudre à pâte et le bicarbonate. Ajouter la cassonade et les graines de pavot. Bien mélanger.
- Dans un autre bol, mélanger le jus de citron, le zeste, le yogourt, l'œuf légèrement battu, l'huile et l'essence d'amande. Verser dans la préparation d'ingrédients secs. Brasser pour humecter.
- À l'aide d'une cuillère, verser le mélange dans des moules à muffins vaporisés d'enduit végétal antiadhésif ou tapissés de moules de papier.
- Cuire à 180ºC (350ºF) pendant 20 à 25 minutes ou jusqu'à ce qu'un cure-dent inséré dans la pâte ressorte propre.

RENDEMENT 12 MUFFINS 1 portion = 1 muffin

1 portion = glucides : 19,5 g, protéines : 3,5 g, matières grasses : 5,4 g, fibres : 1,6 g, kJ : 574,8, kcal : 137,5
Portions du guide alimentaire canadien = produits céréaliers : 1
Échanges Diabète Québec = féculents : 1, matières grasses : 1
Équivalents en carrés de sucre = 4 | **Portion d'aliments sucrés : 1**

Une alimentation santé, ça se planifie. Prenez quelques minutes chaque semaine pour choisir quelques recettes et faire la liste d'épicerie en conséquence.

MUFFINS AU SON

125 ml (1/2 T) de farine blanche

125 ml (1/2 T) de farine de blé entier

5 ml (1 c à t) de poudre à pâte

2 ml (1/2 c à t) de bicarbonate de soude

45 ml (3 c à T) de sucre

375 ml (1 1/2 T) de céréales All-Bran ou 100% Bran

80 ml (1/3 T) de raisins secs

250 ml (1 T) de lait

45 ml (3 c à T) d'huile

1 œuf

2 ml (1/2 c à t) de vanille

- Mélanger les farines, la poudre à pâte et le bicarbonate. Ajouter le sucre et les céréales All-Bran. Incorporer les raisins secs. Bien mélanger.
- Dans un autre bol, mélanger le lait, l'huile, l'œuf légèrement battu et la vanille. Verser dans la préparation d'ingrédients secs. Brasser pour humecter.
- À l'aide d'une cuillère, verser le mélange dans des moules à muffins vaporisés d'enduit végétal antiadhésif ou tapissés de moules en papier.
- Cuire à 180ºC (350ºF) pendant 20 à 25 minutes ou jusqu'à ce qu'un cure-dent inséré dans la pâte ressorte propre.

RENDEMENT 12 MUFFINS 1 portion = 1 muffin

1 portion = glucides : 21,6 g, protéines : 3,5 g, matières grasses : 4,2 g, fibres : 3,9 g, kJ : 523,3, kcal : 125,2
Portions du guide alimentaire canadien = produits céréaliers : 1 1/2
Échanges Diabète Québec = féculents : 1 1/2, matières grasses : 1
Équivalents en carrés de sucre = 4 | **Portion d'aliments sucrés : 1 1/2**

Les produits laitiers, dont le fromage, ne constipent pas, pas plus que n'importe quel autre aliment. Les principales causes de la constipation sont plutôt un manque de fibres alimentaires, d'hydratation et d'exercice.

MUFFINS AUX CANNEBERGES ET À L'ORANGE

180 ml (3/4 T) de farine blanche

250 ml (1 T) de farine de blé entier

10 ml (2 c à t) de poudre à pâte

5 ml (1 c à t) de bicarbonate de soude

60 ml (1/4 T) de sucre

250 ml (1 T) de canneberges hachées, fraîches ou congelées

1 orange non pelée

180 ml (3/4 T) ou 175 g de yogourt nature

60 ml (1/4 T) d'huile

1 œuf

- Mélanger les farines, la poudre à pâte, le bicarbonate et le sucre. Ajouter les canneberges et bien brasser.
- Couper l'orange en 4, ensuite en 2. La déposer dans un robot culinaire ou un mélangeur avec le yogourt. Mélanger jusqu'à ce que l'orange soit réduite en petits morceaux.
- Ajouter l'huile et l'œuf. Mélanger de nouveau jusqu'à ce que la préparation soit homogène. Incorporer au mélange d'ingrédients secs. Brasser pour humecter.
- À l'aide d'une cuillère, verser la préparation dans des moules à muffins vaporisés d'enduit végétal antiadhésif ou tapissés de moules en papier.
- Cuire à 180ºC (350ºF) pendant 20 à 25 minutes ou jusqu'à ce qu'un cure-dent inséré dans la pâte ressorte propre.

RENDEMENT 12 MUFFINS 1 portion = 1 muffin

1 portion = glucides : 21,8 g, protéines : 3,6 g, matières grasses : 5,3 g, fibres : 2,7 g, kJ : 593,6 , kcal : 142
Portions du guide alimentaire canadien = produits céréaliers : 1 1/2
Échanges Diabète Québec = féculents : 1 1/2 , matières grasses : 1
Équivalents en carrés de sucre = 4 | **Portion d'aliments sucrés : 1 1/2**

Les suppléments de vitamines et de minéraux ne sont pas nécessaires pour la plupart des gens. Si vous mangez des aliments des 4 groupes du Guide alimentaire canadien pour manger sainement en quantité suffisante et que vous agrémentez votre alimentation par la variété, vous obtiendrez tous les éléments nutritifs dont vous avez besoin.

MUFFINS PINA-COLADA

250 ml (1 T) de farine de blé entier

250 ml (1 T) de farine d'avoine

60 ml (1/4 T) de cassonade pressée

5 ml (1 c à t) de poudre à pâte

2 ml (1/2 c à t) de bicarbonate de soude

1 œuf

125 ml (1/2 T) d'ananas broyés, bien égouttés

175 g ou 180 ml (3/4 T) de yogourt nature

5 ml (1 c à t) d'essence de noix de coco

60 ml (1/4 T) d'huile

- Mélanger les deux farines. Ajouter la cassonade, la poudre à pâte et le bicarbonate.
- Dans un autre bol, battre l'œuf légèrement. Ajouter les ananas, le yogourt, l'essence de noix de coco et l'huile. Bien mélanger. Incorporer cette préparation aux ingrédients secs et brasser pour humecter.
- À l'aide d'une cuillère, verser le mélange dans des moules à muffins vaporisés d'enduit végétal antiadhésif ou tapissés de moules de papier.
- Cuire à 180ºC (350ºF) pendant environ 20 minutes ou jusqu'à ce qu'un cure-dent inséré dans la pâte ressorte propre.

RENDEMENT 12 MUFFINS 1 portion = 1 muffin

1 portion = glucides : 19,3 g, protéines : 3,8 g, matières grasses : 5,7 g, fibres : 2,2 g, kJ : 584,8, kcal : 139,9
Portions du guide alimentaire canadien = produits céréaliers : 1
Échanges Diabète Québec = féculents : 1, matières grasses : 1
Équivalents en carrés de sucre = 4 | **Portion d'aliments sucrés : 1**

Les produits céréaliers contiennent peu de gras. Cependant, la teneur en matières grasses est augmentée dans certains produits de boulangerie comme les biscuits (sauf la plupart des biscuits secs), la pâte à tarte traditionnelle, les pâtisseries, les beignes et les croissants. Lisez les étiquettes ou faites vos propres recettes moins grasses.

SHORTCAKE AUX FRAISES
PAGE 15

BROWNIES
PAGE 23

GÂTEAU AU FROMAGE
PAGE 17

SCONES AUX BLEUETS ET À L'ORANGE
PAGE 57

MUFFINS AUX ZUCCHINIS
PAGE 26

NEIGE AUX POMMES
PAGE 39

POIRES À LA SAUCE DE CANNEBERGES
PAGE 50

FRAISES AU POIVRE
PAGE 44

CROUSTADE AUX POMMES ET AUX FRAMBOISES

5 pommes moyennes pelées et tranchées ou 750 ml (3 T)

250 ml (1 T) de framboises fraîches ou congelées

15 ml (1 c à T) de farine blanche

15 ml (1 c à T) de sucre

5 ml (1 c à t) de cannelle

GARNITURE

5 ml (1 c à t) de cannelle

45 ml (3 c à T) de cassonade pressée

45 ml (3 c à T) de farine de blé entier

80 ml (1/3 T) de farine d'avoine

30 ml (2 c à T) de margarine molle fondue

- Dans un moule de 20 cm x 20 cm (8 po x 8 po), mélanger les fruits.
- Dans un petit bol, mélanger la farine, le sucre et la cannelle. Ajouter aux fruits et bien brasser.
- Pour préparer la garniture, mélanger la cannelle, la cassonade et les farines.
- Ajouter la margarine fondue et bien mélanger. Saupoudrer sur les fruits.
- Cuire à 180ºC (350ºF) pendant environ 25 minutes ou au micro-ondes à la puissance maximale pendant 10 minutes.

RENDEMENT 6 PORTIONS

1 portion = glucides : 35,7 g, protéines : 1,8 g, matières grasses : 4,5 g, fibres : 4,0 g, kJ : 762,0, kcal : 182,3
Portions du guide alimentaire canadien = produits céréaliers : 1/2, légumes et fruits : 1
Échanges Diabète Québec = féculents : 1/2, fruits : 1, matières grasses : 1, aliments avec sucre ajouté : 1
Équivalents en carrés de sucre = 7 | **Portions d'aliments sucrés : 2**

Le son de blé, associé à une diète faible en gras, aurait un effet protecteur contre certains types de cancer du côlon. Donc, n'oubliez pas de remplacer, en totalité ou en partie, la farine blanche par de la farine de grains entiers. Ajoutez du son nature dans les mets. Choisissez des craquelins et des pâtes alimentaires faits de blé entier.

CROUSTILLANT AUX POIRES ET AUX PETITS FRUITS

1 poire coupée en cubes

150 g (5 oz) de petits fruits* congelés, ou environ 250 ml (1 T)

15 ml (1 c à T) de fécule de maïs

250 ml (1 T) de céréales Shreddies écrasées

125 ml (1/2 T) de farine d'avoine

45 ml (3 c à T) de cassonade

30 ml (2 c à T) d'huile végétale

* Mélanger les cubes de poire, les petits fruits et la fécule de maïs.
* Déposer le mélange de fruits dans un moule carré de 20 cm x 20 cm (8 po x 8 po) allant au four.
* Mélanger les Shreddies, la farine d'avoine, la cassonade et l'huile. Étendre cette préparation uniformément sur les fruits.
* Cuire au four à 180ºC (350ºF) pendant environ 30 minutes.

* Petits fruits : fraises, framboises, bleuets, mûres ou un mélange de ces fruits.

RENDEMENT 6 PORTIONS

1 portion = glucides : 23,3 g, protéines : 1,5 g, matières grasses : 4,9 g, fibres : 2,4 g, kJ : 572,2, kcal : 136,9
Portions du guide alimentaire canadien = produits céréaliers : 1/2, légumes et fruits : 1/2
Échanges Diabète Québec = féculents : 1/2, fruits :1/2, matières grasses : 1, aliments avec sucre ajouté : 1/2
Équivalents en carrés de sucre = 5 | **Portion d'aliments sucrés : 1 1/2**

Pour alléger votre repas, remplacez les frites par une salade légèrement arrosée de vinaigrette ou une pomme de terre au four, la crème glacée par du sorbet ou du yogourt, les brioches et les beignes par des scones ou des muffins maison qui sont habituellement moins riches en gras.

CROUSTADE DE FRAISES ET RHUBARBE

500 ml (2 T) de rhubarbe en morceaux (fraîche ou congelée)

500 ml (2 T) de fraises (fraîches ou congelées)

15 ml (1 c à T) de jus de citron

30 ml (2 c à T) de sucre

60 ml (1/4 T) de margarine fondue

80 ml (1/3 T) de farine de blé entier

180 ml (3/4 T) de farine d'avoine

30 ml (2 c à T) de cassonade

- Déposer les fruits dans un moule carré de 20 cm x 20 cm (8 po x 8 po) allant au four.
- Verser le jus de citron sur les fruits et les saupoudrer de sucre.
- Dans un bol, mélanger la margarine fondue, les farines et la cassonade.
- Étendre ce mélange uniformément sur les fruits.
- Cuire au four 190ºC (375ºF) pendant environ 30 minutes.

RENDEMENT 12 PORTIONS

1 portion = glucides : 17,8 g, protéines : 2,4 g, matières grasses : 4,6 g, fibres : 1,4 g, kJ : 491,6, kcal : 117,6
Portions du guide alimentaire canadien = produits céréaliers : 1/2, légumes et fruits : 1/2
Échanges Diabète Québec = féculents : 1/2, fruits : 1/2, matières grasses : 1
Équivalents en carrés de sucre = 4 | **Portion d'aliments sucrés : 1**

La plupart des gens consomment trop de sodium. Le sel constitue la principale source de sodium. On recommande d'en réduire la consommation. Dans la liste des ingrédients, le sodium se retrouve principalement sous forme de sel, de bicarbonate de sodium et de glutamate monosodique.

CROUSTILLANT AUX POIRES ET AUX ABRICOTS

125 ml (1/2 T) de céréales Bran Flakes

125 ml (1/2 T) de farine d'avoine

2 ml (1/2 c à t) de cannelle

30 ml (2 c à T) de cassonade

30 ml (2 c à T) de margarine

1 boîte de 398 ml (14 oz) de poires en conserve dans leur jus

1 boîte de 398 ml (14 oz) d'abricots en conserve égouttés et rincés

1 ml (1/4 c à t) de gingembre

2 ml (1/2 c à t) de cannelle

15 ml (1 c à T) de farine blanche

- Dans un bol, écraser les Bran Flakes avec le dos d'une cuillère. Ajouter la farine d'avoine, la cannelle et la cassonade. Mélanger. Incorporer la margarine. Réserver.
- Égoutter les poires et réserver 60 ml (1/4 T) de jus. Couper les poires en 4 et les abricots en 2.
- Dans un petit bol, mélanger les épices et la farine.
- Déposer les fruits et le jus dans un moule carré de 20 cm x 20 cm (8 po x 8 po). Ajouter la préparation d'épices et bien mélanger. Saupoudrer les fruits du mélange de céréales.
- Cuire à 180ºC (350ºF) pendant environ 25 minutes.

RENDEMENT 6 PORTIONS

1 portion = glucides : 23,1 g, protéines : 2,3 g, matières grasses : 4,5 g, fibres : 3,0 g, kJ : 563,5, kcal : 134,8
Portions du guide alimentaire canadien = produits céréaliers : 1/2, légumes et fruits : 1
Échanges Diabète Québec = féculents : 1/2, fruits : 1, matières grasses : 1
Équivalents en carrés de sucre = 5 | **Portion d'aliments sucrés : 1 1/2**

Le pain contient très peu de gras, sauf s'il est tartiné de beurre ou de margarine. N'ajoutez pas de gras (ou très peu) sur le pain et les autres aliments, c'est une question d'habitude !

PIZZA AUX PETITS FRUITS

CROÛTE

45 ml (3 c à T) de margarine
125 ml (1/2 T) de farine blanche
125 ml (1/2 T) de farine de blé entier
15 ml (1 c à T) de sucre
10 ml (2 c à t) de poudre à pâte
1 œuf
2 blancs d'œufs
5 ml (1 c à t) d'essence d'érable

GARNITURE

1 paquet de 130 g de pouding instantané à la vanille
500 ml (2 T) de lait
250 ml (1 T) de framboises fraîches
250 ml (1 T) de pêches tranchées en conserve, dans leur jus, égouttées
375 ml (1 1/2 T) de bleuets frais

GLAÇAGE

250 ml (1 T) de jus de pomme
30 ml (2 c à T) de fécule de maïs

CROÛTE

- Mettre la margarine au congélateur durant environ 20 minutes pour lui conférer une texture plus dure.
- Mélanger les farines, le sucre et la poudre à pâte. Ajouter la margarine et couper à l'aide de deux couteaux jusqu'à ce qu'elle forme des petites boules de la grosseur d'un pois.
- Battre légèrement l'œuf et les blancs d'œufs. Ajouter l'essence d'érable. Incorporer au mélange de farines et de gras.
- Former une boule et la mettre au froid environ 1 heure.
- Abaisser la pâte délicatement sur une surface farinée. Étendre dans une assiette à pizza de 30 cm (12 po).
- Cuire, sur la grille du bas, à 180ºC (350ºF) pendant environ 20 minutes. Laisser refroidir.

GARNITURE

- Préparer le pouding avec le lait tel qu'indiqué sur la boîte.
- Étendre sur la pâte précuite.
- Déposer les fruits sur le pouding comme suit : quelques framboises au centre, une rangée de pêches, une large rangée de bleuets, une rangée de framboises, une rangée de pêches, une large rangée de bleuets et une rangée de framboises dispersées.

GLAÇAGE

- Dans un petit chaudron, mélanger le jus de pomme et la fécule de maïs. Chauffer en brassant constamment jusqu'à épaississement. Retirer du feu. Laisser tiédir.
- À l'aide d'un pinceau, étendre sur les fruits.

RENDEMENT 1 PIZZA DE 12 POINTES 1 portion = 1 pointe

1 portion = glucides : 21,4 g, protéines : 3,4 g, matières grasses : 3,6 g, fibres : 2,0 g, kJ : 532,1, kcal : 127,3
Portions du guide alimentaire canadien = produits céréaliers : 1/2, légumes et fruits : 1/2
Échanges Diabète Québec = féculents : 1/2, fruits : 1/2, matières grasses : 1, aliments avec sucre ajouté : 1/2
Équivalents en carrés de sucre = 4 | **Portion d'aliments sucrés : 1**

Pour améliorer son alimentation, il est préférable d'effectuer des changements lents et graduels. Il faut se fixer des objectifs réalistes et chercher à les atteindre un à la fois.

PANIER EXOTIQUE

2 feuilles de pâte phyllo
30 ml (2 c à T) d'huile
180 ml (3/4 T) de fromage Damablanc ou Quark
2 ml (1/2 c à t) de menthe séchée
1 petite mangue
3 kiwis moyens

- Décongeler la pâte phyllo tel qu'indiqué sur l'emballage.
- Déposer une feuille de pâte phyllo sur une surface de travail. Couvrir l'autre d'un linge humide pour ne pas qu'elle sèche.
- Badigeonner entièrement d'huile la feuille de pâte phyllo. Couvrir de l'autre feuille et la badigeonner d'huile à son tour.
- Couper le rectangle de pâte en deux sur la longueur. Couper chaque bande en 3 carrés égaux.
- Déposer les carrés dans des moules à muffins de manière à former de petits paniers.
- Cuire au four préchauffé à 190ºC (375ºF) de 5 à 8 minutes ou jusqu'à ce que les paniers soient dorés. Laisser refroidir*.
- Dans un bol, mélanger le fromage et la menthe. Réserver.
- Peler et couper les fruits.
- Déposer les fruits dans les paniers et garnir d'environ 20 ml (1 c à T comble) de fromage à la menthe.

Vous pouvez déposer environ 15 ml (1 c à T) de coulis de kiwis (p. 118) dans une assiette, y déposer le panier et garnir la préparation de fromage avec une feuille de menthe.

* Les paniers cuits peuvent se conserver 24 heures à la température de la pièce dans un contenant hermétique.

RENDEMENT 6 PORTIONS

1 portion = glucides : 16,8 g, protéines : 5,3 g, matières grasses : 5,3 g, fibres : 2,2 g, kJ : 543,4, kcal : 130,0
Portions du guide alimentaire canadien = légumes et fruits : 1
Échanges Diabète Québec = fruits : 1, matières grasses : 1
Équivalents en carrés de sucre = 3 | **Portion d'aliments sucrés : 1**

Les diètes miracles qui vous promettent de maigrir rapidement ne sont pas efficaces à long terme et peuvent même être dommageable pour votre santé. Il vaut mieux procéder graduellement, doucement mais efficacement. Consultez un(e) diététiste.

NEIGE AUX POMMES

1 blanc d'œuf
1 pincée de sel
30 ml (2 c à T) de sucre
2 pommes moyennes râpées

- Fouetter le blanc d'œuf au malaxeur. Lorsqu'il commence à mousser, ajouter la pincée de sel.
- Battre à nouveau jusqu'à ce que le blanc d'œuf forme des pics mous.
- Ajouter le sucre graduellement sans cesser de battre jusqu'à ce que les pics soient fermes. Réserver.
- Râper les pommes. Ajouter à la mousse et battre à nouveau pour bien mélanger.
- Déposer dans des coupes à dessert.
- Servir immédiatement car la préparation a tendance à brunir au bout de quelques heures.

RENDEMENT 4 PORTIONS

1 portion = glucides : 13,9 g, protéines : 0,9 g, matières grasses : 0,2 g, fibres : 1,0 g, kJ : 239,1, kcal : 57,2
Portions du guide alimentaire canadien = légumes et fruits : 1/2
Échanges Diabète Québec = fruits : 1/2, aliments avec sucre ajouté : 1/2
Équivalents en carrés de sucre = 3 | **Portion d'aliments sucrés : 1**

Pour prévenir l'ostéoporose, on recommande, entre autres, une alimentation riche en calcium et en vitamine D. Allez voir la section Desserts au lait *pour faire le plein de ces 2 nutriments. Mais n'oubliez pas d'être actif physiquement, c'est bon pour le squelette.*

SALADE DE FRUITS ENSOLEILLÉE

1 pamplemousse rose moyen
2 oranges moyennes
3 gros kiwis
1 petite mangue
1 boîte de 398 ml (14 onces) d'ananas en conserve, en morceaux, non sucré, avec le jus

- Peler le pamplemousse, les oranges, les kiwis et la mangue.
- Couper les fruits en morceaux. Les déposer dans un bol.
- Ajouter les ananas et le jus. Mélanger.

RENDEMENT 10 PORTIONS de 125 ml (1/2 T) de fruits et 15 ml (1 c à T) de jus

1 portion = glucides : 19,4 g, protéines : 0,9 g, matières grasses : 0,3 g, fibres : 2,4 g, kJ : 317,7, kcal : 76
Portions du guide alimentaire canadien = légumes et fruits : 1
Échanges Diabète Québec = fruits : 1
Équivalents en carrés de sucre = 4 | **Portion d'aliments sucrés : 1**

Pour atteindre et maintenir la santé, rien de mieux que l'exercice régulier et une saine alimentation basée sur le Guide alimentaire canadien pour manger sainement.

POMMES AU FOUR

6 pommes moyennes (McIntosh de préférence)
1 ml (1/4 c à t) de cannelle
30 ml (2 c à T) de raisins secs
80 ml (1/3 T) d'eau

- Retirer le cœur des pommes.
- Inciser légèrement la pelure tout autour du cœur de pomme.
- Fourrer chacune des pommes avec 5 ml (1 c à t) de raisins secs et saupoudrer l'intérieur de cannelle.
- Verser l'eau dans un plat allant au four et y déposer les pommes. Ne pas couvrir.
- Cuire à 180ºC (350ºF) pendant 25 à 30 minutes ou jusqu'à ce que les pommes soient tendres.

Rendement 6 portions

1 portion = glucides : 19,7 g, protéines : 0,3 g, matières grasses : 0,4 g, fibres : 2,4 g, kJ : 317,3, kcal : 75,9
Portions du guide alimentaire canadien = légumes et fruits : 1
Échanges Diabète Québec = fruits : 1
Équivalents en carrés de sucre = 4 | **Portion d'aliments sucrés : 1**

Le cholestérol contenu dans les aliments ne cause pas de problèmes à la plupart des gens. Ce qu'il faut surveiller, c'est le gras ajouté (beurre, vinaigrettes, sauces et mayonnaise), ainsi que celui contenu, souvent en grande quantité, dans les viandes, les noix, la friture et la majorité des pâtisseries. Réduisez la portion de ces derniers.

POIRES AU VIN ROUGE

4 petites poires mûres pelées
30 ml (2 c à T) de jus de citron
180 ml (3/4 T) d'eau
180 ml (3/4 T) de vin rouge sec
22 ml (1 1/2 c à T) de sucre
1 bâton de cannelle
2 ml (1/2 c à t) de zeste de citron

- Couper les poires en 2.
- Retirer les cœurs et arroser de jus de citron. Réserver.
- Dans un petit chaudron, verser l'eau, le vin, le sucre et le bâton de cannelle. Amener à ébullition.
- Ajouter les poires et le zeste de citron.
- Cuire environ 10 minutes ou jusqu'à ce que les poires soient tendres.

RENDEMENT 4 PORTIONS de 2 demi-poires avec 30 ml (2 c à T) de jus

1 portion = glucides : 18,0 g, protéines : 0,4 g, matières grasses : 0,1 g, fibres : 3,1 g, kJ : 343,6, kcal : 82,2
Portions du guide alimentaire canadien = légumes et fruits : 1
Échanges Diabète Québec = fruits : 1
Équivalents en carrés de sucre = 4 | **Portion d'aliments sucrés : 1**

Une collation permet souvent de redonner de l'énergie et... d'être moins affamé au repas suivant. Mais attention, choisissez-la de préférence faible en gras et en sucre ajouté afin d'obtenir une meilleure valeur nutritive.

PÊCHES MELBA

300 g de framboises congelées, soit environ 500 ml (2 T)

20 ml (4 c à t) de sucre

10 ml (2 c à t) de fécule de maïs

15 ml (1 c à T) de jus de fruits non sucré (saveur de votre choix)

4 moitiés de pêches (fraîches, pelées ou en conserve)

- Dans une casserole, faire chauffer doucement les framboises et le sucre. Bien écraser les framboises avec un pilon.
- Délayer la fécule de maïs dans le jus de fruits et ajouter aux framboises chaudes.
- Brasser jusqu'à épaississement, laisser cuire à feu doux environ 1 minute.
- Disposer les moitiés de pêches dans 4 petits plats de service individuels, étendre la sauce aux framboises sur le dessus.

RENDEMENT 4 PORTIONS 80 ml (1/3 T) de sauce

1 portion = glucides : 22,5 g, protéines : 1,2 g, matières grasses : 0,4 g, fibres : 4,7 g, kJ : 377,5, kcal : 90,3
Portions du guide alimentaire canadien = légumes et fruits : 1 1/2
Échanges Diabète Québec = fruits : 1 1/2
Équivalents en carrés de sucre = 4 | **Portion d'aliments sucrés : 1 1/2**

Il n'y a rien de mieux que la fraîcheur, mais les produits en conserve ou surgelés possèdent une bonne valeur nutritive et peuvent représenter des économies, selon la saison. De plus, ils sont prêts en un clin d'œil. Faites-en bonne provision!

FRAISES AU POIVRE

750 ml (3 T) de fraises fraîches (équeutées, lavées et coupées en moitiés)

10 ml (2 c à t) d'essence d'orange

5 ml (1 c à t) de sucre

2,5 ml (1/2 c à t) de poivre noir

500 ml (2 T) de yogourt glacé ou de lait glacé à la vanille

- Combiner les 4 premiers ingrédients et réfrigérer environ 30 minutes.
- Servir sur une boule de 125 ml (1/2 T) de yogourt ou de lait glacé dans des coupes ou des petits bols individuels.

RENDEMENT 4 PORTIONS

1 portion = glucides : 24,9 g, protéines : 3,3 g, matières grasses : 3,3 g, fibres : 2,8 g, kJ : 559,3, kcal : 133,8
Portions du guide alimentaire canadien = légumes et fruits : 1/2, produits laitiers : 1/2
Échanges Diabète Québec = fruits : 1/2, matières grasses : 1, lait : 1/2, aliments avec sucre ajouté : 1/2
Équivalents en carrés de sucre = 5 | **Portions d'aliments sucrés : 2**

Les produits céréaliers, les légumes et les fruits doivent constituer les éléments principaux de vos repas; accompagnez-les de petites portions des autres groupes d'aliments (viandes et substituts, produits laitiers).

COSSETARDE AUX PÊCHES

1 boîte de pêches en conserve (398 ml ou 14 oz) dans un sirop léger

250 ml (1T) de lait

30 ml (2 c à T) de fécule de maïs

1 œuf

1 blanc d'œuf

250 ml (1 T) de riz cuit

5 ml (1 c à t) de vanille

- Dans un plat de 20 cm x 20 cm (8 po x 8 po) allant au four, déposer les pêches coupées en morceaux et le sirop léger.
- Dans un bol à mélanger, diluer la fécule de maïs avec un peu de lait, ajouter le reste du lait.
- Battre légèrement l'œuf et le blanc d'œuf. Les ajouter au mélange de lait. Ajouter le riz et la vanille. Brasser.
- Ajouter au mélange de pêches et bien mélanger.
- Cuire au four à 180ºC (350ºF) pendant environ 50 minutes. Brasser 1 fois après 5 à 10 minutes de cuisson.

RENDEMENT 7 PORTIONS de 125 ml (1/2 T)

1 portion = glucides : 16,8 g, protéines : 3,3 g, matières grasses : 0,8 g, fibres : 0,1 g, kJ : 361,2, kcal : 86,4
Portions du guide alimentaire canadien = légumes et fruits : 1
Échanges Diabète Québec = fruits : 1
Équivalents en carrés de sucre = 3 | **Portion d'aliments sucrés : 1**

Les aliments « sans sucre » ne contiennent pas plus de 0,25 gramme de sucre par 100 grammes et pas plus de 1 calorie par 100 grammes.

TAPIOCANANAS

375 ml (1 1/2 T) de jus d'ananas
45 ml (3 c à T) de tapioca minute
45 ml (3 c à T) de miel
5 ml (1 c à t) de vanille
4 tranches d'ananas coupées en morceaux

- Dans une casserole, mélanger le jus d'ananas, le tapioca, le miel et la vanille.
- Porter doucement à ébullition, baisser le feu et laisser mijoter environ 1 minute.
- Disposer les ananas en morceaux dans 4 petits bols et verser la préparation de jus par-dessus.
- Réfrigérer quelques heures avant de servir.
- Servir dans les bols ou démouler doucement le tapioca pour une plus belle présentation.

RENDEMENT 4 PORTIONS

1 portion = glucides : 32,3 g, protéines : 0,6 g, matières grasses : 0,1 g, fibres : 0,6 g, kJ : 524,6, kcal : 125,5
Portions du guide alimentaire canadien = produits céréaliers : 1/2, légumes et fruits : 1
Échanges Diabète Québec = féculents : 1/2, fruits : 1, aliments avec sucre ajouté : 1/2
Équivalents en carrés de sucre = 6 | **Portions d'aliments sucrés : 2**

Réduisez, le plus possible, votre consommation de produits commerciaux contenant des huiles végétales hydrogénées ou du shortening.

PÊCHES-LIMETTES

80 ml (1/3 T) de fromage à la crème léger
1 lime
20 ml (4 c à t) de sucre
2 ml (1/2 c à t) de vanille
4 demi-pêches

- Faire fondre le fromage environ 30 secondes au micro-ondes.
- Couper la lime en 2, extraire le jus d'une moitié et râper l'écorce pour obtenir environ 15 à 30 ml (1 à 2 c à T) de zeste. L'autre moitié de lime servira à la décoration.
- Dans un bol, mélanger le fromage, le sucre, la vanille et le zeste. Bien mélanger et ajuster la texture avec le jus de lime pour obtenir une belle pâte moyennement ferme (tel du fromage à tartiner).
- Disposer les demi-pêches dans un plat allant au four (le côté rond vers le bas), farcir le creux de la préparation de fromage.
- Cuire au four à 180ºC (350ºF) pendant 30 minutes.
- Au moment de servir, couper des tranches minces de lime pour décorer.
- Servir chaud ou froid.

Rendement 4 portions

1 portion = glucides : 11,1 g, protéines : 2,2 g, matières grasses : 3,8 g, fibres : 1,1 g, kJ : 341,9, kcal : 81,8
Portions du guide alimentaire canadien = légumes et fruits : 1
Échanges Diabète Québec = fruits : 1, matières grasses : 1
Équivalents en carrés de sucre = 2 | **Portion d'aliments sucrés : 1**

Écouter vos signaux corporels de faim et de satiété. Grignoter est sain quand il s'agit d'un besoin physiologique (vraie faim). De plus, le fait de sauter un repas ou d'ignorer un signal physique de faim incite à la compulsion alimentaire.

MOUSSE CRÉMEUSE AUX BANANES

2 blancs d'œufs

2 petites bananes très mûres

30 ml (2 c à T) de crème 15% m.g.

- Battre les blancs d'œufs en neige jusqu'à l'obtention de pics fermes.
- Bien écraser les bananes pour faire une purée lisse, ajouter la crème.
- Ajouter la purée de banane aux blancs d'œufs battus. Mélanger doucement pour obtenir une préparation homogène.
- Servir immédiatement car la préparation a tendance à brunir au bout de quelques heures.

RENDEMENT 4 PORTIONS de 80 à 125 ml (1/3 à 1/2 T)

1 portion = glucides : 7,9 g, protéines : 2,1 g, matières grasses : 1,3 g, fibres : 0,5 g, kJ : 203,6, kcal : 48,7
Portions du guide alimentaire canadien = légumes et fruits : 1/2
Échanges Diabète Québec = fruits : 1/2
Équivalents en carrés de sucre = 2 | **Portionsd'aliments sucrés : 1/2**

Les matières grasses doivent être réduites et non pas éliminées de notre alimentation, car elles fournissent des éléments nutritifs essentiels et aident à l'absorption d'autres éléments nutritifs qui sont aussi essentiels.

BOULE AUX FRUITS

1 sachet de gélatine neutre
60 ml (1/4 T) d'eau froide
60 ml (1/4 T) d'eau bouillante
2 poires en quartiers
60 ml (1/4 T) de quartiers de clémentines fraîches ou en conserve
500 ml (2 T) de jus de raisins blancs

- Dans un petit bol à mélanger, saupoudrer la gélatine sur l'eau froide; laisser reposer pendant 1 minute.
- Ajouter l'eau bouillante et remuer constamment jusqu'à ce que le gélatine soit complètement dissoute.
- Dans un bol de 750 ml (3 T), disposer les quartiers de poires et de clémentines sur la paroi du bol.
- Mélanger la gélatine dissoute au jus de raisins et verser délicatement ce mélange sur les fruits (les fruits doivent tapisser la paroi du bol pour donner un bel aspect à la recette).
- Réfrigérer.

Diviser en portions dans des petits bols pour faire des mini-boules aux fruits.

RENDEMENT 4 PORTIONS

1 portion = glucides : 24,5 g, protéines : 2 g, matières grasses : 0,2 g, fibres : 1,7 g, kJ : 424,7, kcal : 101,6
Portions du guide alimentaire canadien = légumes et fruits : 1 1/2
Échanges Diabète Québec = fruits : 1 1/2
Équivalents en carrés de sucre = 5 | **Portion d'aliments sucrés : 1 1/2**

Selon la lecture de la teneur en fibres des aliments, une source de fibres alimentaires contient 2 grammes de fibres par portion,une source élevée en contient 4 grammes et une source très élevée en contient 6 grammes. Il n'y a pas de recommandations formelles sur la quantité de fibres qu'il faut consommer chaque jour, mais 25 à 35 grammes semble une quantité adéquate.

POIRES À LA SAUCE DE CANNEBERGES

2 poires fraîches

125 ml (1/2 T) de canneberges

125 ml (1/2 T) de compote ou de sauce aux pommes non sucrée **(voir recette page 52)**

125 ml (1/2 T) de jus de pomme non sucré

20 ml (4 c à t) de sucre

1 ml (1/4 c à t) de vanille

- Couper les poires en deux et enlever le cœur.
- Dans une casserole, faire chauffer à feu doux les canneberges, la sauce aux pommes (ou la compote), le jus de pomme et le sucre. Laisser mijoter 5 à 10 minutes.
- Avec un pilon, bien écraser les canneberges. Ajouter la vanille.
- Ajouter les poires, la partie ronde vers le haut, et cuire jusqu'à tendreté (environ 10 minutes).

Servir chaud. Disposer une moitié de poire dans une petite assiette de service et déposer, dans le creux laissé par le cœur, la sauce aux canneberges.

RENDEMENT 4 PORTIONS

1 portion = glucides : 25 g, protéines : 0,3 g, matières grasses : 0,4 g, fibres : 3,1 g, kJ : 407,1, kcal : 97,4
Portions du guide alimentaire canadien = légumes et fruits : 1 1/2
Échanges Diabète Québec = fruits : 1 1/2
Équivalents en carrés de sucre = 5 | **Portions d'aliments sucrés : 2**

Servez-vous du Guide alimentaire canadien pour manger sainement pour planifier vos repas et pour choisir vos collations. Avec la multitude d'aliments dans chacun des 4 groupes, les variations sont infinies et savoureuses.

COQUILLE AUX FRAMBOISES

300 g de framboises surgelées (environ 625 ml ou 2 1/2 T)

80 ml (1/3 T) de sucre

3 tranches de pain de blé entier (enlever les croûtes)

60 ml (1/4 T) de crème 15% m.g.

- Dans une casserole, faire chauffer à feu doux les framboises et le sucre. Laisser mijoter environ 5 minutes pour que les fruits se défassent en purée.
- Dans un bol de 500 ml (2 T), disposer les tranches de pain dans le fond pour qu'elles tapissent le fond du moule jusqu'au rebord (tailler les tranches en conséquence).
- Verser doucement la préparation de framboises dans le moule tapissé des tranches de pain.
- Réfrigérer.
- Renverser la coquille au moment de servir.
- Diviser en 4 portions et verser sur chacune d'elles 15 ml (1 c à T) de crème.

Rendement 4 portions

1 portion = glucides : 33,4 g, protéines : 2,6 g, matières grasses : 1,2 g, fibres : 4,5 g, kJ : 611,5, kcal : 146,3
Portions du guide alimentaire canadien = produits céréaliers : 1/2, légumes et fruits : 1/2
Échanges Diabète Québec = féculents : 1/2, fruits : 1/2, aliments avec sucre ajouté : 1
Équivalents en carrés de sucre = 7 | **Portions d'aliments sucrés : 2**

Si vous lisez, sur une étiquette, « faible teneur en sucre », cela signifie que l'aliment ne contient pas plus de 2 grammes de sucre par portion.

SAUCE AUX POMMES

4 pommes
125 ml (1/2 T) d'eau

- Éplucher les pommes, enlever le cœur et couper en morceaux.
- Déposer les pommes et l'eau dans une casserole, porter doucement à ébullition. Couvrir et laisser mijoter à feu doux pendant environ 10 minutes ou jusqu'à ce que les pommes soient très molles.
- Retirer du feu et passer au robot culinaire ou au mélangeur pour obtenir une consistance lisse.

RENDEMENT 3 PORTIONS de 80 ml (1/3 T)

1 portion = glucides : 20,3 g, protéines : 0,2 g, matières grasses : 0,4 g, fibres : 2,6 g, kJ : 326, kcal : 78
Portions du guide alimentaire canadien = légumes et fruits : 1
Échanges Diabète Québec = fruits : 1
Équivalents en carrés de sucre = 4 | **Portion d'aliments sucrés : 1**

Dans la liste des ingrédients, sur l'étiquette d'un produit alimentaire, le terme « glucides » regroupe tous les types de sucre : glucose, sucrose, fructose, saccharose, lactose, amidon, sirop de maïs, miel, etc.

COMPOTE PRINTANIÈRE

500 ml (2 T) de pommes épluchées et coupées en morceaux

500 ml (2 T) de fraises

250 ml (1 T) de rhubarbe en morceaux

2 ml (1/2 c à t) de gingembre

pincée de cannelle

- Dans un plat allant au four, de 20 cm x 20 cm (8 po x 8 po), étendre tous les fruits et saupoudrer les assaisonnements.
- Cuire au four à 180ºC (350ºF) pendant environ 30 minutes ou jusqu'à ce que les fruits soient très mous.
- Retirer du four et piler les fruits à l'aide d'un pilon.
- Réfrigérer.

RENDEMENT 4 PORTIONS de 125 ml (1/2 T) environ

1 portion = glucides : 22,4 g, protéines : 1 g, matières grasses : 0,7 g, fibres : 3,8 g, kJ : 375,4, kcal : 89,8
Portions du guide alimentaire canadien = légumes et fruits : 1 1/2
Échanges Diabète Québec = fruits : 1 1/2
Équivalents en carrés de sucre = 4 | **Portion d'aliments sucrés : 1 1/2**

La mention « non sucré » ou « sans sucre ajouté » signifie qu'aucun sucre n'a été ajouté, mais l'aliment peut contenir du sucre présent naturellement, comme par exemple dans les jus de fruits.

TAPIOCA À L'ORANGE

60 ml (1/4 T) de tapioca minute
500 ml (2 T) de jus d'orange

- Dans une casserole, mélanger le tapioca et le jus d'orange.
- Porter à ébullition et cuire à feu doux jusqu'à épaississement, environ 2 minutes.
- Retirer du feu, laisser refroidir et réfrigérer.

RENDEMENT 4 PORTIONS de 125 ml (1/2 T)

1 portion = glucides : 20,7 g, protéines : 0,8 g, matières grasses : 0,2 g, fibres : 0,6 g, kJ : 354, kcal : 84,7
Portions du guide alimentaire canadien = produits céréaliers : 1/2, légumes et fruits : 1
Échanges Diabète Québec = féculents : 1/2, fruits : 1
Équivalents en carrés de sucre = 4 | **Portion d'aliments sucrés : 1**

Consultez l'étiquette afin de toujours choisir une margarine « non hydrogénée ». Les gras qui la compose sont de qualité supérieure et contribuent à une meilleur santé cardiovasculaire.

MOUSSE AUX FRAMBOISES

1 sachet de gélatine neutre
60 ml (1/4 T) d'eau froide
60 ml (1/4 T) d'eau bouillante
250 ml (1 T) de framboises
250 ml (1 T) de yogourt nature à faible teneur en matières grasses
60 ml (1/4 T) de sucre

- Dans un bol à mélanger, saupoudrer la gélatine sur l'eau froide; laisser reposer pendant 1 minute.
- Ajouter l'eau bouillante et remuer constamment jusqu'à ce que la gélatine soit complètement dissoute.
- Déposer la gélatine, les framboises, le yogourt et le sucre dans le contenant d'un robot culinaire ou d'un mélangeur et mélanger jusqu'à consistance mousseuse (environ 1 à 2 minutes).
- Réfrigérer.

RENDEMENT 3 PORTIONS de 125 ml (1/2 T) environ

1 portion = glucides : 27,1 g, protéines : 6,7 g, matières grasses : 1,5 g, fibres : 2 g, kJ : 626,6, kcal : 143,9
Portions du guide alimentaire canadien = légumes et fruits : 1/2, produits laitiers : 1/2
Échanges Diabète Québec = fruits : 1/2, lait : 1/2, aliments avec sucre ajouté : 1
Équivalents en carrés de sucre = 5 | **Portions d'aliments sucrés : 2**

L'aspect et l'apparence comptent beaucoup dans l'acceptation d'un mets. Un plat bien présenté sera plus apprécié. Décorez vos assiettes avec une variété de fruits et légumes colorés, ajoutez des fines herbes, utilisez de belles assiettes et créez une atmosphère agréable autour des repas.

SCONES À LA CITROUILLE

250 ml (1 T) de farine blanche
250 ml (1 T) de farine de blé entier
15 ml (1 c à T) de poudre à pâte
1 ml (1/4 c à t) de sel
60 ml (1/4 T) de sucre
60 ml (1/4 T) de raisins secs
1 ml (1/4 c à t) de cannelle
1 ml (1/4 c à t) de muscade
1 ml (1/4 c à t) de gingembre
180 ml (3/4 T) de purée de citrouille
125 ml (1/2 T) de lait
45 ml (3 c à T) d'huile
1 blanc d'œuf

- Dans un bol, mélanger les farines, la poudre à pâte, le sel, le sucre, les raisins secs et les épices.
- Dans un autre bol, mélanger la purée de citrouille, le lait et l'huile. Incorporer à la préparation d'ingrédients secs.
- Sur une surface farinée, abaisser la pâte en un cercle de 1 cm (1/2 po) d'épaisseur. Couper en 16 pointes.
- Mettre les pointes sur une plaque à biscuits vaporisée d'un enduit végétal antiadhésif en laissant un espace de 2,5 cm (1 po) entre chacune.
- Badigeonner de blanc d'œuf légèrement battu.
- Cuire à 180ºC (350ºF) pendant 15 à 20 minutes.
- Retirer immédiatement de la plaque lorsqu'ils sont cuits.

Servir chaud... c'est meilleur !

RENDEMENT 16 SCONES 1 portion = 1 scone

1 portion = glucides : 18,1, protéines : 2,5 g, matières grasses : 2,8 g, fibres : 1,6 g, kJ : 438,5, kcal : 104,9
Portions du guide alimentaire canadien = produits céréaliers : 1
Échanges Diabète Québec = féculents : 1, matières grasses : 1/2
Équivalents en carrés de sucre = 4 | **Portion d'aliments sucrés : 1**

Les légumes contiennent très peu de gras... sauf s'ils sont panés, frits, nappés de sauce à la crème, de beurre, de margarine, d'huile ou de vinaigrette.

SCONES AUX BLEUETS ET À L'ORANGE

250 ml (1 T) de farine blanche
180 ml (3/4 T) de farine de blé entier
60 ml (1/4 T) de sucre
12 ml (21/2 c à t) de poudre à pâte
10 ml (2 c à t) de zeste d'orange
60 ml (1/4 T) de margarine
125 ml (1/2 T) de bleuets frais ou congelés
1 œuf
90 ml (1/4 T + 2 c à T) de lait

- Mélanger les farines, le sucre, la poudre à pâte et le zeste d'orange.
- Incorporer la margarine et mélanger jusqu'à ce que la préparation s'émiette.
- Ajouter les bleuets, l'œuf et le lait pour mouiller la pâte.
- Déposer le mélange sur une surface légèrement farinée. Pétrir 10 fois délicatement.
- Abaisser en un cercle de 23 cm (9 po). Couper en 12 pointes.
- Déposer celles-ci sur une plaque à biscuits vaporisée d'enduit végétal antiadhésif en laissant un espace de 2,5 cm (1 po) entre chacune.
- Cuire à 200ºC (400ºF) pendant 10 à 12 minutes ou jusqu'à ce que les scones soient dorés.
- Retirer immédiatement de la plaque lorsqu'ils sont cuits.

RENDEMENT 12 SCONES 1 portion = 1 scone

1 portion = glucides : 18,7 g, protéines : 2,2 g, matières grasses : 4,1 g, fibres : 1,5 g, kJ : 492,4 , kcal : 117,8
Portions du guide alimentaire canadien = produits céréaliers : 1
Échanges Diabète Québec = féculents : 1 , matières grasses : 1
Équivalents en carrés de sucre = 4 | **Portion d'aliments sucrés : 1**

L'eau est un élément essentiel au bon fonctionnement de l'organisme. Elle nettoie le corps en entraînant avec elle, dans l'urine, les toxines de l'organisme. Buvez beaucoup d'eau en tout temps.

SCONES AUX CANNEBERGES

250 ml (1 T) de farine blanche
180 ml (3/4 T) de farine de blé entier
60 ml (1/4 T) de sucre
12 ml (2 1/2 c à t) de poudre à pâte
60 ml (1/4 T) de margarine
125 ml (1/2 T) de canneberges fraîches ou congelées
1 œuf
90 ml (1/4 T + 2 c à T) de lait

- Mélanger les farines, le sucre et la poudre à pâte.
- Incorporer la margarine et mélanger jusqu'à ce que la préparation s'émiette.
- Couper les canneberges en deux et les incorporer au mélange. Ajouter l'œuf et le lait pour mouiller la pâte.
- Déposer la pâte sur une surface légèrement farinée. Pétrir 10 fois délicatement.
- Abaisser en un cercle de 23 cm (9 po). Couper en 12 pointes.
- Déposer celles-ci sur une plaque à biscuits vaporisée d'enduit végétal antiadhésif en laissant un espace de 2,5 cm (1 po) entre chacune.
- Cuire à 200ºC (400ºF) pendant 10 à 12 minutes ou jusqu'à ce que les scones soient dorés.
- Retirer immédiatement de la plaque lorsqu'ils sont cuits.

RENDEMENT 12 SCONES 1 portion = 1 scone

1 portion = glucides : 18,8 g, protéines : 2,9 g, matières grasses : 4,4 g, fibres : 1,5 g, kJ : 520,8, kcal : 124,6
Portions du guide alimentaire canadien = produits céréaliers : 1
Échanges Diabète Québec = féculents : 1, matières grasses : 1
Équivalents en carrés de sucre = 4 | **Portion d'aliments sucrés : 1**

Les protéines servent principalement à la croissance, à la réparation et à l'entretien des tissus de notre organisme tels les muscles et la peau. Elles entrent dans la composition de plusieurs hormones et d'anticorps. On les retrouve principalement dans les viandes, les volailles, les poissons, les œufs, le tofu, les légumineuses et les produits laitiers.

TARTE AU CITRON MERINGUÉE

1 sachet de gélatine neutre
60 ml (1/4 T) d'eau froide
60 ml (1/4 T) d'eau bouillante
3 jaunes d'œufs
180 ml (3/4 T) de sucre
1 ml (1/4 c à t) de sel
125 ml (1/2 T) de jus de citron
30 ml (2 c à T) de zeste de citron râpé
5 blancs d'œufs
1 abaisse de tarte cuite (voir recette page 120)

- Dans un bol, saupoudrer la gélatine sur l'eau froide; laisser reposer pendant 1 minute.
- Ajouter l'eau bouillante et remuer constamment jusqu'à ce que la gélatine soit complètement dissoute.
- Dans un autre bol, battre les jaunes d'œufs et ajouter 125 ml (1/2 T) de sucre, le sel, le jus de citron, le zeste et la préparation de gélatine.
- Chauffer au bain-marie jusqu'à l'obtention d'un mélange lisse et crémeux.
- Réfrigérer jusqu'à ce que le mélange soit à moitié ferme.
- Battre 3 blancs d'œufs en neige et les incorporer au mélange de jaune d'œuf lorsqu'il est à moitié ferme.
- Verser dans l'abaisse de tarte cuite. Réfrigérer.
- Battre les 2 blancs d'œufs restant en neige jusqu'à l'obtention de pics fermes, ajouter 60 ml (1/4 T) de sucre et étendre le sucre sur la tarte lorsqu'elle est complètement ferme. Réfrigérer.

RENDEMENT 8 PORTIONS

1 portion = glucides : 31,7 g, protéines : 5,6 g, matières grasses : 6,3 g, fibres : 1,4 g, kJ : 840,2, kcal : 201
Portions du guide alimentaire canadien = produits céréaliers : 1/2
Échanges Diabète Québec = féculents : 1/2, matières grasses : 1, aliments avec sucre ajouté : 1 1/2
Équivalents en carrés de sucre = 6 | **Portions d'aliments sucrés : 2**

Vous voulez de la farine blanche avec des fibres ? Remplacez 1 tasse (250 ml) de farine blanche par 3/4 de tasse (180 ml) de farine blanche additionnée de 1/4 de tasse (60 ml) de céréales de son pulvérisées durant 60 à 90 secondes au robot culinaire ou au mélangeur. Utilisez cette farine pour les mêmes usages que votre farine habituelle.

TARTE CHOCO-BANANE

45 ml (3 c à T) de margarine

125 ml (1/2 T) de farine blanche

125 ml (1/2 T) de farine de blé entier

45 ml (3 c à T) à 60 ml (1/4 T) d'eau froide

1 paquet de 130 g de pouding instantané au chocolat

500 ml (2 T) de lait

1 petite banane tranchée

30 ml (2 c à T) d'amandes tranchées

- Préparer la pâte à tarte au blé entier (p. 120). Laisser refroidir.
- Préparer le pouding avec le lait, tel qu'indiqué sur la boîte.
- Étendre les tranches de bananes sur la croûte. Ajouter le pouding.
- Saupoudrer d'amandes tranchées.
- Réfrigérer jusqu'au moment de servir.

RENDEMENT 1 TARTE 1 portion = 1/8 de tarte

1 portion = glucides : 24,8 g, protéines : 4,1 g, matières grasses : 6,1 g, fibres : 0,6 g, kJ : 703,5 , kcal : 168,3
Portions du guide alimentaire canadien = produits céréaliers : 1/2, produits laitiers : 1/2
Échanges Diabète Québec = féculents : 1/2 , lait : 1/2, matières grasses : 1, aliments avec sucre ajouté : 1/2
Équivalents en carrés de sucre = 5 | **Portions d'aliments sucrés : 2**

Le régime anti-cancer n'existe pas, mais ces recommandations pourraient diminuer les risques de développer la maladie en plus de favoriser la santé cardiaque : réduire sa consommation de gras et d'alcool, consommer davantage de produits céréaliers à grains entiers, de légumes et de fruits, puis atteindre et maintenir un poids raisonnable.

TARTE FRUITÉE AU YOGOURT

60 ml (1/4 T) de margarine

250 ml (1 T) de chapelure de biscuits graham

1 sachet de gélatine neutre

500 ml (2 T) ou 500 g de yogourt brassé aux fraises*, sans gras

30 ml (2 c à T) de fécule de maïs

250 ml (1 T) de jus d'orange non sucré

15 ml (1 c à T) de sucre

500 ml (2 T) ou 300 g de fraises* fraîches ou congelées

* Vous pouvez varier la saveur de yogourt et utiliser les fruits correspondants comme garniture.

- Faire fondre la margarine. Mélanger avec la chapelure de biscuits graham. Mettre dans une assiette à tarte de 1 L (9 po). Cuire à 180ºC (350ºF) pendant 8 à 10 minutes. Laisser refroidir.
- Dissoudre la gélatine selon les instructions sur le sachet et l'incorporer au yogourt. Bien mélanger. Verser sur la croûte et laisser prendre au réfrigérateur environ 2 heures.
- Mélanger la fécule de maïs, le jus d'orange et le sucre. Chauffer en brassant constamment jusqu'à épaississement. Retirer du feu. Laisser tiédir. Ajouter les fraises à ce mélange. Étendre sur le yogourt ferme.
- Servir froid.

RENDEMENT 1 TARTE 1 portion = 1/8 de tarte

1 portion = glucides : 28,5 g, protéines : 4,6 g, matières grasses : 7,1 g, fibres : 1,3 g, kJ : 743,2 , kcal : 177,8

Portions du guide alimentaire canadien = produits céréaliers : 1/2, légumes et fruits : 1/2, produits laitiers : 1/2

Échanges Diabète Québec = féculents : 1/2, fruits : 1/2, lait : 1/2 , matières grasses : 1, aliments avec sucre ajouté : 1/2

Équivalents en carrés de sucre = 6 | **Portions d'aliments sucrés : 2**

Trente-six pour cent des femmes dont le poids se situe dans les limites du poids santé se considèrent malgré tout trop grosses. Une diète sévère n'est pas la solution. L'acceptation de son image corporelle étant plus bénéfique, concentrez-vous sur vos forces et cessez de vous comparer à des corps trop parfaits et à des modèles de maigreur.

TARTE CHIFFON AUX FRAISES

1 sachet de gélatine neutre
60 ml (1/4 T) d'eau froide
60 ml (1/4 T) d'eau bouillante
2 jaunes d'œufs
80 ml (1/3 T) de sucre
1 ml (1/4 c à t) de sel
80 ml (1/3 T) d'eau
5 ml (1 c à t) de jus de citron
250 ml (1 T) de fraises
3 blancs d'œufs
1 abaisse de tarte cuite (voir recette page 120)

- Dans un bol, saupoudrer la gélatine sur l'eau froide; laisser reposer pendant 1 minute.
- Ajouter l'eau bouillante et remuer constamment jusqu'à ce que la gélatine soit complètement dissoute.
- Dans un autre bol, battre les jaunes d'œufs; ajouter le sucre, le sel, l'eau et le jus de citron. Faire chauffer au bain-marie jusqu'à l'obtention d'un mélange lisse et crémeux. Retirer du feu.
- Bien écraser les fraises avec un pilon, y ajouter la gélatine et le mélange de jaunes d'œufs.
- Réfrigérer jusqu'à ce que le mélange soit à moitié ferme.
- Battre les blancs d'œufs en neige jusqu'à l'obtention de pics fermes.
- Lorsque le mélange de fraise est à moitié ferme, y incorporer les blancs d'œufs en neige et verser dans une abaisse de tarte cuite.
- Réfrigérer.

RENDEMENT 6 PORTIONS

1 portion = glucides : 28,5 g, protéines : 6,1 g, matières grasses : 7,6 g, fibres : 2,2 g, kJ : 848,1, kcal : 202,9
Portions du guide alimentaire canadien = produits céréaliers : 1/2, légumes et fruits : 1/2
Échanges Diabète Québec = féculents : 1/2, fruits : 1/2, matières grasses : 1, aliments avec sucre ajouté : 1
Équivalents en carrés de sucre = 6 | **Portions d'aliments sucrés : 2**

Vous voulez manger plus de grains entiers ? Excellente idée ! Essayez le pain de blé entier pour les sandwichs ou vos rôties du matin. Ajoutez généreusement de l'orge ou du riz brun à vos soupes. Choisissez des craquelins de grains entiers et des pâtes alimentaires de blé entier.

TARTE AUX FRAMBOISES ET TOFU

60 ml (1/4 T) de margarine
250 ml (1 T) de chapelure de biscuits graham
150 g (1/3 lb) de tofu émietté
250 g (1/2 lb) de fromage Quark
250 ml (1 T) de framboises congelées
30 ml (2 c à T) de farine
125 ml (1/2 T) de miel

- Faire fondre la margarine et la mélanger avec la chapelure. Étendre ce mélange uniformément dans le fond d'une assiette à tarte de 1 L (9 po). Presser avec une cuillère.
- Cuire au four à 200ºC (400ºF) pendant 5 minutes.
- Dans un mélangeur ou un robot culinaire, mélanger tous les autres ingrédients jusqu'à l'obtention d'une préparation très lisse.
- Étendre ce mélange sur la croûte graham et cuire au four à 180ºC (350ºF) pendant environ 25 minutes.

Rendement 10 portions

1 portion = glucides : 28,8 g, protéines : 7,2 g, matières grasses : 7,1 g, fibres : 1 g, kJ : 820,1, kcal : 196,2
Portions du guide alimentaire canadien = produits céréaliers : 1/2, viandes et substituts : 1/2
Échanges Diabète Québec = féculents : 1/2, fruits : 1/2, matières grasses : 1/2, viandes et substituts : 1, aliments avec sucre ajouté : 1
Équivalents en carrés de sucre = 6 | **Portions d'aliments sucrés : 2**

Les glucides (tous les types de sucres d'un aliment) constituent notre principale source d'énergie. On les retrouve en grande partie dans les produits céréaliers, les fruits, les légumes, le lait, le yogourt, les légumineuses (pois secs, haricots blancs, lentilles, etc.) et bien sûr dans les sucreries.

GALETTES AUX PRUNEAUX

125 ml (1/2 T) de pruneaux déshydratés

125 ml (1/2 T) d'eau

180 ml (3/4 T) de farine blanche

5 ml (1 c à t) de bicarbonate de soude

60 ml (1/4 T) de céréales 100% Bran ou All-Bran pulvérisées*

125 ml (1/2 T) de farine de blé entier

180 ml (3/4 T) de farine d'avoine

60 ml (1/4 T) de cassonade pressée

5 ml (1 c à t) de cannelle

80 ml (1/3 T) de lait

2 blancs d'œufs

45 ml (3 c à T) d'huile

* Céréales pulvérisées : signifie qu'elles ont été réduites en chapelure fine à l'aide d'un mélangeur ou d'un robot culinaire.

- Mettre les pruneaux et l'eau dans un chaudron. Couvrir et laisser mijoter à feu doux quelques minutes jusqu'à ce que les pruneaux soient réduits en purée. Brasser occasionnellement. Laisser refroidir.
- Dans un bol, tamiser la farine blanche et le bicarbonate. Ajouter les céréales, la farine de blé entier, la farine d'avoine, la cassonade et la cannelle.
- Dans un autre bol, battre le lait et les blancs d'œufs.
- Verser ces ingrédients dans un mélangeur. Ajouter l'huile et la purée de pruneaux. Mélanger. Incorporer à la préparation d'ingrédients secs et bien brasser.
- Vaporiser une plaque à biscuits d'enduit végétal antiadhésif. Diviser le mélange en 9 et le déposer à l'aide d'une cuillère à table sur la plaque. Aplatir à l'aide d'une fourchette.
- Cuire à 190ºC (375ºF) pendant environ 10 à 12 minutes.

RENDEMENT 9 PORTIONS

1 portion = glucides : 34,2 g, protéines : 4,9 g, matières grasses : 5,5 g, fibres : 3,2 g, kJ : 820,5, kcal : 196,3
Portions du guide alimentaire canadien = produits céréaliers : 1, légumes et fruits : 1/2
Échanges Diabète Québec = féculents : 1, fruits : 1/2, matières grasses : 1, aliments avec sucre ajouté : 1/2
Équivalents en carrés de sucre = 7 | **Portions d'aliments sucrés : 2**

Il est préférable de ne consommer qu'occasionnellement les fritures et les aliments préparés avec beaucoup de gras et de crème. Ainsi, au restaurant, choisissez, par exemple, une soupe aux légumes ou une salade comme entrée avec vinaigrette à côté et un plat principal à base de légumes et de viande, volaille ou poisson grillés.

GALETTES À LA MÉLASSE

60 ml (1/4 T) de mélasse

5 ml (1 c à t) de bicarbonate de soude

2 ml (1/2 c à t) de gingembre

80 ml (1/3 T) de cassonade pressée

60 ml (1/4 T) d'huile

2 blancs d'œufs

250 ml (1 T) de farine blanche

125 ml (1/2 T) de farine de blé entier

60 ml (1/4 T) de lait

- Dans un bol, mélanger la mélasse, le bicarbonate et le gingembre. Ajouter la cassonade. Incorporer l'huile et les blancs d'œufs légèrement battus. Bien mélanger.
- Tamiser la farine blanche. Ajouter la farine tamisée, la farine de blé entier et le lait à la préparation précédente en brassant bien.
- À l'aide d'une cuillère à thé comble, déposer le mélange sur une plaque à biscuits vaporisée d'enduit végétal antiadhésif.
- Cuire à 180ºC (350ºF) pendant environ 8 à 10 minutes.

RENDEMENT 24 GALETTES 1 portion = 2 galettes

1 portion = glucides : 22,3 g, protéines : 2,3 g, matières grasses : 4,7 g, fibres : 1,0 g, kJ : 579,8, kcal : 138,7
Portions du guide alimentaire canadien = produits céréaliers : 1/2
Échanges Diabète Québec = féculents : 1/2, matières grasses : 1, aliments avec sucre ajouté : 1
Équivalents en carrés de sucre = 4 | **Portion d'aliments sucrés : 1 1/2**

On a tendance à penser que les aliments sains n'ont pas de saveur et ne peuvent pas nous apporter de satisfaction. Consultez le Guide alimentaire canadien pour manger sainement, vous verrez que les aliments sains pour la santé sont innombrables.

GALETTES BLANCHES

80 ml (1/3 T) de margarine
125 ml (1/2 T) de sucre
1 œuf
2 blancs d'œufs
180 ml (3/4 T) de lait
12 ml (2 1/2 c à t) de vanille
750 ml (3 T) de farine blanche
45 ml (3 c à T) de poudre à pâte

- Mélanger la margarine et le sucre. Ajouter l'œuf et les blancs d'œufs. Bien mélanger. Incorporer le lait et la vanille.
- Dans un autre bol, mélanger la farine et la poudre à pâte. Ajouter aux ingrédients humides. Bien mélanger.
- Abaisser la pâte à 1/2 cm (1/4 po) d'épaisseur. Découper avec un emporte-pièce ou un verre de 5 cm (2 po) de diamètre légèrement fariné.
- Déposer sur une plaque à biscuits non graissée.
- Cuire à 180ºC (350ºF) pendant 10 à 12 minutes ou jusqu'à ce que le dessous des galettes soit doré.

RENDEMENT 50 GALETTES 1 portion = 2 galettes

1 portion = glucides : 16,2 g, protéines : 2,3 g, matières grasses : 2,8 g, fibres : 0,5 g, kJ : 415,1, kcal : 99,3
Portions du guide alimentaire canadien = produits céréaliers : 1
Échanges Diabète Québec = féculents : 1, matières grasses : 1/2
Équivalents en carrés de sucre = 3 | **Portion d'aliments sucrés : 1**

GALETTES ORANGÉES

60 ml (1/4 T) de margarine
250 ml (1 T) de farine de blé entier
250 ml (1 T) de farine blanche
15 ml (1 c à T) de poudre à pâte
60 ml (1/4 T) de lait
125 ml (1/2 T) de jus d'orange
5 à 10 ml (1 à 2 c à t) de zeste d'orange

- Mettre la margarine au congélateur durant environ 20 minutes pour lui conférer une texture plus dure.
- Mélanger les farines et la poudre à pâte. Couper le gras dans le mélange de farines à l'aide de deux couteaux jusqu'à ce que la margarine forme de petites boules de la grosseur d'un pois.
- Ajouter le lait, le jus d'orange et le zeste. Mélanger, à l'aide d'une fourchette, jusqu'à l'obtention d'une pâte collante.
- Enfariner légèrement une surface de travail et pétrir la pâte jusqu'à ce qu'elle ne soit plus collante.
- Abaisser à 1 cm (1/3 po) d'épaisseur. Découper avec un emporte-pièce ou un verre de 5 cm (2 po) de diamètre enfariné. À cette étape, vous devriez avoir obtenu 12 galettes.
- Pétrir légèrement les retailles et abaisser de nouveau pour vous permettre d'utiliser les restants de pâte.
- Disposer les galettes sur une plaque à biscuits non graissée.
- Déposer votre plaque sur la grille au centre du four et cuire à 230ºC (450ºF) pendant environ 8 à 12 minutes ou jusqu'à ce que les galettes commencent à dorer.

Déguster idéalement chaud avec un peu de confiture réduite en sucre.

RENDEMENT 15 GALETTES 1 portion = 1 galette

1 portion = glucides : 13,4 g, protéines : 2,2 g, matières grasses : 3,3 g, fibres : 1,3 g, kJ : 377,5, kcal : 90,3
Portions du guide alimentaire canadien = produits céréaliers : 1
Échanges Diabète Québec = féculents : 1, matières grasses : 1
Équivalents en carrés de sucre = 3 | **Portion d'aliments sucrés : 1**

Une multitude d'aliments savoureux peuvent faire partie d'une saine alimentation. Il s'agit de faire des choix judicieux.

GALETTES À LA POUDRE À PÂTE

60 ml (1/4 T) de margarine
250 ml (1 T) de farine de blé entier
250 ml (1 T) de farine blanche
15 ml (1 c à T) de poudre à pâte
180 ml (3/4 T) de lait

- Mettre la margarine au congélateur durant environ 20 minutes pour lui conférer une texture plus dure.
- Mélanger les farines et la poudre à pâte.
- Couper le gras dans le mélange de farines à l'aide de deux couteaux jusqu'à ce que la margarine forme des petites boules de la grosseur d'un pois.
- Ajouter le lait et mélanger à l'aide d'une fourchette jusqu'à l'obtention d'une pâte collante.
- Enfariner légèrement une surface de travail et pétrir la pâte jusqu'à ce qu'elle ne soit plus collante.
- Abaisser à 1 cm (1/4 po) d'épaisseur. Découper avec un emporte-pièce rond ou un verre de 5 cm (2 po) de diamètre légèrement enfariné. Rendu à cette étape, vous devriez avoir obtenu 12 galettes.
- Pétrir légèrement les retailles et abaisser à nouveau. Ceci vous permettra d'utiliser le reste de pâte.
- Disposer les galettes sur une plaque à biscuits non graissée.
- Déposer votre plaque sur la grille au centre du four et cuire à 230ºC (450ºF) pendant environ 8 à 12 minutes.

Déguster idéalement chaud avec un peu de confiture réduite en sucre.

RENDEMENT 15 GALETTES 1 portion = 1 galette

1 portion = glucides : 13,0 g, protéines : 2,4 g, matières grasses : 3,3 g, fibres : 1,3 g, kJ : 374,5 , kcal : 89,6
Portions du guide alimentaire canadien = produits céréaliers : 1
Échanges Diabète Québec = féculents : 1 , matières grasses : 1
Équivalents en carrés de sucre = 3 | **Portion d'aliments sucrés : 1**

Déjeuner permet de fournir au cerveau et au corps l'énergie dont il a besoin pour bien commencer la journée. Plusieurs recettes de ce livre peuvent faire partie d'un excellent déjeuner, par exemple les muffins, les scones et les pains aux fruits. Assurez-vous que votre déjeuner contienne au moins 3 groupes du Guide alimentaire canadien pour manger sainement.

BISCUITS À L'AVOINE ET AU CHOCOLAT

180 ml (3/4 T) de farine blanche
375 ml (1 1/2 T) de flocons d'avoine
2 ml (1/2 c à t) de bicarbonate de soude
2 ml (1/2 c à t) de cannelle
60 ml (1/4 T) de cassonade pressée
1 blanc d'œuf
60 ml (1/4 T) d'huile
80 ml (1/3 T) d'eau
5 ml (1 c à t) de vanille
60 ml (1/4 T) de pépites de chocolat mi-sucré

- Mélanger les farines, le bicarbonate, la cannelle et la cassonade.
- Dans un autre bol, battre légèrement le blanc d'œuf, l'huile, l'eau et la vanille. Incorporer ce mélange aux ingrédients secs.
- Ajouter les pépites de chocolat et bien mélanger.
- Déposer, à l'aide d'une cuillère à thé, 24 petites boules sur une plaque à biscuits vaporisée d'enduit végétal antiadhésif. Aplatir légèrement les boules de pâte à l'aide d'une fourchette.
- Cuire à 180°C (350°F) pendant 8 à 10 minutes.

RENDEMENT 24 PETITS BISCUITS 1 portion = 2 biscuits

1 portion = glucides : 21,1 g, protéines : 3,0 g, matières grasses : 6,5 g, fibres : 1,5 g, kJ : 634,5, kcal : 151,8
Portions du guide alimentaire canadien = produits céréaliers : 1 1/2
Échanges Diabète Québec = féculents : 1 1/2, matières grasses : 1
Équivalents en carrés de sucre = 4 | **Portion d'aliments sucrés : 1 1/2**

Il n'existe pas de « bons » ni de « mauvais » aliments. On gagne plutôt à miser sur la variété, l'équilibre et la modération, ainsi que sur des comportements alimentaires sains au fil des jours et des années.

BISCUITS AU SON D'AVOINE

250 ml (1 T) de farine d'avoine
125 ml (1/2 T) de son d'avoine
125 ml (1/2 T) de farine de blé entier
4 ml (3/4 c à t) de bicarbonate de soude
60 ml (1/4 T) d'huile
60 ml (1/4 T) de miel
1 blanc d'œuf
5 ml (1 c à t) de vanille
60 ml (1/4 T) de raisins secs

- Mélanger la farine d'avoine, le son d'avoine, la farine de blé entier et le bicarbonate.
- Dans un autre bol, mélanger l'huile, le miel, le blanc d'œuf légèrement battu et la vanille. Incorporer à la préparation d'ingrédients secs et y ajouter les raisins. Bien mélanger.
- Déposer, à l'aide d'une cuillère à thé, 24 petites boules sur une plaque à biscuits vaporisée d'enduit végétal antiadhésif. Aplatir légèrement les boules de pâte à l'aide d'une fourchette.
- Cuire à 180ºC (350ºF) pendant 8 à 10 minutes.

RENDEMENT 24 PETITS BISCUITS 1 portion = 2 biscuits

1 portion = glucides : 21,4 g, protéines : 3,0 g, matières grasses : 5,6 g, fibres : 2,3 g, kJ : 594,4, kcal : 142,2
Portions du guide alimentaire canadien = produits céréaliers : 1 1/2
Échanges Diabète Québec = féculents : 1 1/2, matières grasses : 1
Équivalents en carrés de sucre = 4 | **Portion d'aliments sucrés : 1 1/2**

Bien manger, c'est choisir des aliments sains au fil du temps.
Il ne faut pas regarder qu'un seul repas.

BISCUITS AU GINGEMBRE

60 ml (1/4 T) de mélasse

5 ml (1 c à t) de bicarbonate de soude

5 ml (1 c à t) de gingembre

1 œuf

60 ml (1/4 T) d'huile

500 ml (2 T) + 30 ml (2 c à T) de farine blanche

60 ml (1/4 T) de lait

- Mélanger la mélasse, le bicarbonate et le gingembre.
- Dans un autre bol, battre l'œuf légèrement. Ajouter l'huile. Incorporer la farine en brassant. Ajouter le lait ainsi que la préparation de mélasse et de bicarbonate. Bien mélanger.
- Façonner en boule. Saupoudrer la boule de farine pour éviter qu'elle ne colle à vos mains.
- À l'aide d'un rouleau à pâte, étendre la préparation jusqu'à ce qu'elle ait environ 1/2 cm (1/4 po) d'épaisseur. Tailler à l'aide d'un verre ou d'un emporte-pièce de 5 cm (2 po) de diamètre.
- Déposer les biscuits sur une plaque de cuisson vaporisée d'enduit végétal antiadhésif.
- Cuire à 180ºC (350ºF) pendant environ 8 à 10 minutes.

RENDEMENT 30 BISCUITS 1 portion = 2 biscuits

1 portion = glucides : 18,2 g, protéines : 2,4 g, matières grasses : 4,1 g, fibres : 0,6 g, kJ : 503,7, kcal : 120,5
Portions du guide alimentaire canadien = produits céréaliers : 1
Échanges Diabète Québec = féculents : 1 , matières grasses : 1
Équivalents en carrés de sucre = 4 | **Portion d'aliments sucrés : 1**

L'eau facilite l'élimination. Il est recommandé d'en boire environ 1,5 litre (6 tasses) par jour.

BISCOTTIS CHOCO-AMANDES

125 ml (1/2 T) de farine de blé entier

250 ml (1 T) de farine blanche

10 ml (2 c à t) de poudre à pâte

60 ml (1/4 T) de cacao

1 œuf

3 blancs d'œufs

125 ml (1/2 T) de sucre

60 ml (1/4 T) d'huile

7 ml (1 1/2 c à t) d'essence d'amande

- Mettre la farine de blé entier dans un bol. Tamiser la farine blanche, la poudre à pâte et le cacao. Mélanger le tout.
- Dans un autre bol, battre légèrement, à l'aide d'un fouet, l'œuf et 2 blancs d'œufs. Ajouter le sucre, l'huile et l'essence d'amande. Verser sur les ingrédients secs et mélanger. La pâte sera collante et molle.
- Déposer la préparation sur une surface farinée et former une boule lisse. Séparer la pâte en deux. Façonner chaque portion en un rouleau de 30 cm (12 po) de longueur.
- Mettre les rouleaux sur une plaque à cuisson non graissée. Badigeonner d'un blanc d'œuf.
- Cuire à 180ºC (350ºF) pendant 20 minutes. Laisser refroidir sur une grille pendant 5 minutes.
- Sur une planche, couper chaque rouleau en biais par tranches de 2 cm (3/4 po) d'épaisseur. Remettre les biscuits sur la plaque de cuisson, dans la même position qu'on les a coupés, et poursuivre la cuisson de 20 à 25 minutes ou jusqu'à ce qu'ils soient dorés. Laisser refroidir sur une grille.

RENDEMENT 24 BISCOTTIS 1 portion = 2 biscottis

1 portion = glucides : 21 g, protéines : 3,1 g, matières grasses : 5,3 g, fibres : 1,8 g, kJ : 579,8, kcal : 138,7
Portions du guide alimentaire canadien = produits céréaliers : 1
Échanges Diabète Québec = féculents : 1, matières grasses : 1, aliments avec sucre ajouté : 1/2
Équivalents en carrés de sucre = 4 | **Portion d'aliments sucrés : 1 1/2**

À l'épicerie, le rayon des légumes et des fruits offre une grande variété de couleurs, de saveurs et de textures. Laissez-vous tenter, essayez-en des nouveaux. S'ils ne remplissent pas au moins le quart de votre panier d'épicerie, ajoutez-en quelques-uns.

BISCUITS AU BEURRE D'ARACHIDE

2 blancs d'œufs
15 ml (1 c à T) d'huile
30 ml (2 c à T) d'eau
5 ml (1 c à t) de vanille
80 ml (1/3 T) de beurre d'arachide crémeux
80 ml (1/3 T) de sucre
80 ml (1/3 T) de farine blanche
80 ml (1/3 T) de farine de blé entier
5 ml (1 c à t) de poudre à pâte

- Mélanger les blancs d'œufs, l'huile, l'eau et la vanille. Incorporer le beurre d'arachide. Bien mélanger. Ajouter le sucre.
- Dans un autre bol, mélanger les farines et la poudre à pâte. Incorporer aux ingrédients humides.
- À l'aide d'une cuillère à thé, déposer la préparation sur une plaque à biscuits vaporisée d'enduit végétal antiadhésif. Aplatir chaque boule de pâte à l'aide d'une fourchette.
- Cuire à 190ºC (375ºF) pendant 12 à 15 minutes.

RENDEMENT 20 BISCUITS 1 portion = 2 biscuits

1 portion = glucides : 14,3 g, protéines : 3,7 g, matières grasses : 5,8 g, fibres : 1,1 g, kJ : 499,5, kcal : 119,5
Portions du guide alimentaire canadien = produits céréaliers : 1/2
Échanges Diabète Québec = féculents : 1/2, matières grasses : 1/2, aliments avec sucre ajouté : 1/2, viandes et substituts : 1/2
Équivalents en carrés de sucre = 3 | **Portion d'aliments sucrés : 1**

Il n'existe aucun lien entre votre poids et votre valeur personnelle. Soyez fiers de vos réalisations et de vos succès dans la vie.

BISCUITS AUX AMANDES

30 ml (2 c à T) de margarine
1 œuf
125 ml (1/2 T) de sucre
180 ml (3/4 T) d'amandes blanches moulues
15 ml (1 c à T) de lait
10 ml (2 c à t) d'essence d'amande
250 ml (1 T) de farine blanche
2 ml (1/2 c à t) de poudre à pâte

- Dans un bol, bien mélanger la margarine et l'œuf légèrement battu.
- Ajouter le sucre, les amandes moulues, le lait et l'essence d'amande. Brasser pour obtenir un mélange homogène.
- Dans un autre bol, tamiser la farine et la poudre à pâte.
- Ajouter à la préparation liquide et bien mélanger.
- À l'aide d'une cuillère, déposer des boules de pâte sur une plaque à biscuits.
- Cuire au four à 200ºC (400ºF) pendant 11 à 12 minutes ou jusqu'à ce que les biscuits soient légèrement dorés.

RENDEMENT 13 GROS BISCUITS OU 26 PETITS

1 portion = 1 gros biscuit ou 2 petits

1 portion = glucides : 16,7 g, protéines : 3,2 g, matières grasses : 6,6 g, fibres : 1,2 g, kJ : 564,7, kcal : 135,1
Portions du guide alimentaire canadien = produits céréaliers : 1/2
Échanges Diabète Québec = féculents : 1/2, matières grasses : 1/2, aliments avec sucre ajouté : 1/2, viandes et substituts : 1/2
Équivalents en carrés de sucre = 3 | **Portion d'aliments sucrés : 1**

Si vous avez des problèmes de constipation, certains aliments comme le pain de blé entier, les céréales de son, les légumes, les fruits, les noix et les graines, ainsi que les légumineuses, peuvent vous aider, car ils contiennent beaucoup de fibres. N'oubliez pas de boire beaucoup d'eau.

BISCUITS SECS À LA VANILLE

3 blancs d'œufs
2 jaunes d'œufs
125 ml (1/2 T) de sucre
10 ml (2 c à t) de vanille
60 ml (1/4 T) de farine blanche
60 ml (1/4 T) de farine de blé entier
2,5 ml (1/2 c à t) de poudre à pâte
pincée de sel

- Battre les blancs d'œufs en neige jusqu'à l'obtention de pics fermes. Réserver.
- Mélanger ensemble les jaunes d'œufs légèrement battus, le sucre et la vanille. Combiner aux blancs d'œufs sans trop mélanger.
- Tamiser ensemble les farines, la poudre à pâte et le sel. Ajouter au mélange d'œufs, doucement, pour obtenir un mélange homogène.
- Déposer la pâte sur une tôle à biscuits à l'aide d'une cuillère.
- Cuire au four à 200ºC (400ºF) environ 15 minutes ou jusqu'à ce que les biscuits soient dorés.

RENDEMENT 12 GROS BISCUITS OU 24 PETITS

1 portion = 1 gros biscuit ou 2 petits

1 portion = glucides : 12,4 g, protéines : 1,8 g, matières grasses : 0,8 g, fibres : 0,4 g, kJ : 265, kcal : 63,4
Portions du guide alimentaire canadien = produits céréaliers : 1/2
Échanges Diabète Québec = féculents : 1/2, aliments avec sucre ajouté : 1/2
Équivalents en carrés de sucre = 2 | **Portion d'aliments sucrés : 1**

Les fibres alimentaires aident à réduire les risques de développer certains types de cancer.

GÂTEAU GIVRÉ À LA VANILLE

80 ml (1/3 T) de margarine
125 ml (1/2 T) de sucre
5 ml (1 c à thé) de vanille
375 ml (1 1/2 T) de farine blanche
20 ml (4 c à t) de poudre à pâte
pincée de sel
250 ml (1 T) de lait
3 blancs d'œufs
500 ml (2 T) de yogourt glacé à la vanille (ou une autre saveur au choix)

- Mélanger ensemble la margarine, 60 ml (1/4 T) de sucre, et la vanille.
- Tamiser ensemble la farine, la poudre à pâte et le sel.
- Ajouter la farine au mélange de margarine et de sucre en alternant avec le lait.
- Battre les blancs d'œufs en neige et ajouter le reste du sucre.
- Incorporer les blancs d'œufs battus à la pâte en pliant.
- Déposer dans un moule à pain légèrement graissé et enfariné.
- Cuire au four de 30 à 40 minutes à 180ºC (350ºF).
- Laisser refroidir et couper en 3 dans le sens de l'épaisseur (vous obtiendrez ainsi un gâteau à trois étages).
- Entre chaque tranche de gâteau, étendre 250 ml (1 tasse) de yogourt glacé.

Ce gâteau se conserve au congélateur. Le sortir 20 à 30 minutes avant de servir. Il peut être servi avec une sauce anglaise, sur un coulis de fruits ou avec quelques petits fruits colorés.

RENDEMENT 12 PORTIONS

1 portion = glucides : 29,3 g, protéines : 4,4 g, matières grasses : 7 g, fibres : 0,5 g, kJ : 823,9, kcal : 197,1
Portions du guide alimentaire canadien = produits céréaliers : 1/2, produits laitiers : 1/2
Échanges Diabète Québec = féculents : 1/2, lait : 1/2, matières grasses : 1, aliments avec sucre ajouté : 1
Équivalents en carrés de sucre = 6 | **Portions d'aliments sucrés : 2**

Exemples de matières grasses : polyinsaturées : huile de maïs, de tournesol, de soya; monoinsaturées : huile d'olive, de canola, de noisette; gras trans : huile végétale hygrogénée, margarines sans la mention « non hydrogénée »; gras saturés : les sources de gras trans, gras d'origine animale, huile de coco et de palme.

DESSERT GLACÉ AUX CLÉMENTINES

1 sachet de gélatine neutre
60 ml (1/4 T) d'eau froide
60 ml (1/4 T) d'eau chaude
5 ml (1 c à t) de zeste de clémentine râpé
jus de 1/2 clémentine
45 ml (3 c à T) de sucre
125 ml (1/2 T) de lait écrémé en poudre
2 blancs d'œufs

- Dans un bol, saupoudrer la gélatine sur l'eau froide; laisser reposer pendant 1 minute.
- Ajouter l'eau bouillante et remuer constamment jusqu'à ce que la gélatine soit complètement dissoute.
- Ajouter le zeste, le jus, le sucre et le lait en poudre. Bien mélanger. Mettre au congélateur environ 5 minutes.
- Pendant ce temps, battre les blancs d'œufs en neige jusqu'à l'obtention de pics fermes.
- Sortir le mélange du congélateur, y incorporer les blancs d'œufs, bien mélanger.
- Diviser en portions, couvrir et congeler immédiatement.

Consommer dans les 24 à 48 heures.

RENDEMENT 4 PORTIONS de 80-125 ml (1/3 T à 1/2 T)

1 portion = glucides : 20,4 g, protéines : 8,6 g, matières grasses : 0,2 g, fibres : 0,1 g, kJ : 489,9, kcal : 117,2
Portions du guide alimentaire canadien = produits laitiers : 1/2
Échanges Diabète Québec = lait : 1/2, aliments avec sucre ajouté : 1
Équivalents en carrés de sucre = 4 | **Portion d'aliments sucrés : 1**

Le lait écrémé en poudre reconstitué pour la préparation de vos recettes donnera d'aussi bons résultats en plus d'être économique.

SORBET AUX KIWIS

7 kiwis moyens

250 ml (1 T) de jus de fruits exotiques non sucré

22 ml (1 1/2 c à T) de sucre

- Peler les kiwis.
- Déposer tous les ingrédients dans un mélangeur ou un robot culinaire. Réduire en purée.
- Mettre la préparation dans un plat en métal peu profond. Couvrir et congeler pendant 3 à 4 heures ou jusqu'à ce que le mélange soit presque ferme.
- Déposer à nouveau dans le mélangeur ou le robot et mélanger jusqu'à ce que la préparation soit lisse et crémeuse.
- Mettre dans un contenant hermétique et congeler quelques heures avant de déguster.

RENDEMENT 6 PORTIONS d'environ 125 ml (1/2 T)

1 portion = glucides : 20,4 g, protéines : 1,1 g, matières grasses : 0,4 g, fibres : 3,2 g, kJ : 349,4, kcal : 83,6
Portions du guide alimentaire canadien = légumes et fruits : 1 1/2
Échanges Diabète Québec = fruits : 1 1/2
Équivalents en carrés de sucre = 4 | **Portion d'aliments sucrés : 1**

Les matières grasses fournissent 2 fois plus de calories que les sucres et les protéines. En les diminuant, vous contrôlerez mieux votre poids, en plus de favoriser la santé de votre cœur et de diminuer les risques de cancer.

LAIT GLACÉ À LA MANGUE ET AU CANTALOUP

1 petite mangue
1 cantaloup moyen
250 ml (1 T) de lait
37 ml (2 1/2 c à T) de sucre
1 ml (1/4 c à t) de vanille

- Peler la mangue et le cantaloup. Déposer les fruits dans un mélangeur ou un robot culinaire avec le lait. Réduire en purée.
- Ajouter le sucre et la vanille et mélanger à nouveau.
- Mettre la préparation dans un plat en métal peu profond. Couvrir et congeler pendant environ 3 à 4 heures ou jusqu'à ce que la mélange soit presque ferme.
- Déposer à nouveau dans le mélangeur ou le robot et mélanger jusqu'à ce que la préparation soit lisse et crémeuse.
- Mettre dans un contenant hermétique et congeler quelques heures avant de déguster.

RENDEMENT 9 PORTIONS d'environ 125 ml (1/2 T)

1 portion = glucides : 13,7 g, protéines : 1,6 g, matières grasses : 0,3 g, fibres : 0,9 g, kJ : 245,4 , kcal : 58,7
Portions du guide alimentaire canadien = légumes et fruits : 1/2, produits laitiers : 1/2
Échanges Diabète Québec = fruits : 1/2, lait : 1/2
Équivalents en carrés de sucre = 3 | **Portion d'aliments sucrés : 1**

Pour changer vos habitudes alimentaires graduellement, vous pouvez commencer par un groupe d'aliment en particulier (les légumes et les fruits, par exemple) ou l'un des trois repas (le déjeuner, par exemple). Lorsque les corrections sont devenues une habitude, passez au groupe suivant ou au repas suivant.

YOGOURT GLACÉ AUX FRAISES ET AUX BANANES

500 ml (2 T) ou 300 g de fraises
2 bananes moyennes
175 g ou 180 ml (3/4 T) de yogourt nature
15 ml (1 c à T) de jus d'orange
15 ml (1 c à T) de sucre

- Déposer les fraises et les bananes dans un mélangeur ou un robot culinaire. Réduire en purée.
- Ajouter le yogourt, le jus d'orange et le sucre. Mélanger.
- Mettre la préparation dans un plat en métal peu profond. Couvrir et congeler pendant environ 3 à 4 heures ou jusqu'à ce que le mélange soit presque ferme.
- Déposer à nouveau dans le mélangeur ou le robot et mélanger jusqu'à ce que la préparation soit lisse et crémeuse.
- Mettre dans un contenant hermétique et congeler quelques heures avant de déguster.

RENDEMENT 8 PORTIONS d'environ 125 ml (1/2 T)

1 portion = glucides : 11,4 g, protéines : 1,6 g, matières grasses : 0,3 g, fibres : 1,3 g, kJ : 212,3, kcal : 50,8
Portions du guide alimentaire canadien = légumes et fruits : 1
Échanges Diabète Québec = fruits : 1
Équivalents en carrés de sucre = 2 | **Portion d'aliments sucrés : 1**

Les diètes miracles ne donnent jamais de résultats à long terme, optez plutôt pour une approche non culpabilisante, centrée sur la personne d'abord. Modifiez vos habitudes alimentaires une à la fois, soyez plus actif et écoutez vos signaux régulateurs de faim et de satiété.

PAIN AUX DATTES CITRONNÉ

250 ml (1T) de dattes
250 ml (1T) d'eau
10 ml (2 c à t) de café instantané
30 ml (2 c à T) de jus de citron
15 ml (1 c à T) de zeste de citron
60 ml (1/4 T) d'huile
60 ml (1/4 T) de sucre
1 œuf
2 blancs d'œufs
180 ml (3/4 T) de lait
180 ml (3/4 T) de farine blanche
5 ml (1 c à t) de bicarbonate de soude
5 ml (1 c à t) de poudre à pâte
180 ml (3/4 T) de farine de blé entier
5 ml (1 c à t) de cannelle

- Mettre les dattes, l'eau, le café, le jus et le zeste de citron dans un chaudron. Couvrir et laisser bouillir à feu doux-moyen environ 5 minutes jusqu'à ce que les dattes soient réduites en purée et qu'il ne reste plus de liquide. Laisser tiédir.
- Dans un bol, mélanger l'huile et le sucre. Ajouter l'œuf et les blancs d'œufs. Incorporer le lait. Ajouter la préparation de dattes refroidies et bien mélanger.
- Dans un autre bol, tamiser la farine blanche, le bicarbonate et la poudre à pâte. Ajouter la farine de blé entier et la cannelle. Mélanger. Incorporer à la préparation d'ingrédients humides.
- Verser dans un moule à pain vaporisé d'enduit végétal antiadhésif.
- Cuire à 180ºC (350ºF) pendant 35 à 40 minutes ou jusqu'à ce qu'un cure-dent introduit dans la pâte ressorte propre.

RENDEMENT 1 PAIN DE 12 TRANCHES 1 portion = 1 tranche

1 portion = glucides : 28,9 g, protéines : 3,7 g, matières grasses : 5,2 g, fibres : 2,7 g, kJ : 710,6, kcal : 170
Portions du guide alimentaire canadien = produits céréaliers : 1 1/2, légumes et fruits : 1/2
Échanges Diabète Québec = féculents : 1 1/2, fruits : 1/2, matières grasses : 1
Équivalents en carrés de sucre = 6 | **Portions d'aliments sucrés : 2**

Manger « santé » n'est pas synonyme de privation.
Tout est question d'équilibre et de choix judicieux.

PAIN À L'ORANGE

180 ml (3/4 T) de farine blanche
7 ml (1 1/2 c à t) de poudre à pâte
2 ml (1/2 c à t) de bicarbonate de soude
180 ml (3/4 T) de farine de blé entier
60 ml (1/4 T) de sucre
1 œuf
2 blancs d'œufs
60 ml (1/4 T) d'huile
125 g ou 125 ml (1/2 T) de yogourt nature
30 ml (2 c à T) de zeste d'orange
125 ml (1/2 T) de jus d'orange

- Dans un bol, tamiser la farine blanche, la poudre à pâte et le bicarbonate. Incorporer la farine de blé entier et le sucre.
- Dans un autre bol, battre légèrement l'œuf et les blancs d'œufs. Ajouter l'huile, le yogourt, le zeste et le jus d'orange. Bien mélanger. Incorporer aux ingrédients secs.
- Verser dans un moule à pain vaporisé d'enduit végétal antiadhésif.
- Cuire à 160ºC (325ºF) pendant environ 1 heure ou jusqu'à ce qu'un cure-dent introduit dans la pâte ressorte propre.

RENDEMENT 1 PAIN DE 12 TRANCHES 1 portion = 1 tranche

1 portion = glucides : 17,7 g, protéines : 3,4 g, matières grasses : 5,2 g, fibres : 1,4, kJ : 538,0, kcal : 128,7
Portions du guide alimentaire canadien = produits céréaliers : 1
Échanges Diabète Québec = féculents : 1, matières grasses : 1
Équivalents en carrés de sucre = 4 | **Portion d'aliments sucrés : 1**

Pour gagner du temps, cuisinez en plus grande quantité et congelez les restes dans des contenants hermétiques en portions individuelles. Vous aurez sous la main des repas vite préparés pour la maison ou les boîtes à lunch.

PAIN AU CITRON

- **80 ml (1/3 T) de lait**
- **80 ml (1/3 T) de jus de citron**
- **15 ml (1 c à T) de zeste de citron**
- **60 ml (1/4 T) de margarine**
- **80 ml (1/3 T) de sucre**
- **1 œuf**
- **2 blancs d'œufs**
- **10 ml (2 c à t) de vanille**
- **180 ml (3/4 T) de farine blanche**
- **180 ml (3/4 T) de farine de blé entier**
- **5 ml (1 c à t) de poudre à pâte**
- **5 ml (1 c à t) de bicarbonate de soude**

- Mélanger le lait, le jus de citron et le zeste. Laisser reposer 10 minutes.
- Dans un bol, mélanger la margarine et le sucre. Ajouter l'œuf, les blancs d'œufs et la vanille. Bien mélanger.
- Dans un autre bol, mélanger les farines, la poudre à pâte et le bicarbonate.
- Incorporer la préparation de lait et citron à celle de margarine et d'œufs. Ajouter aux ingrédients secs et mélanger pour humecter.
- Verser dans un moule à pain vaporisé d'enduit végétal antiadhésif.
- Cuire à 180ºC (350ºF) pendant 30 à 35 minutes ou jusqu'à ce qu'un cure-dent inséré dans la pâte ressorte propre.

RENDEMENT 1 PAIN DE 12 TRANCHES 1 portion = 1 tranche

1 portion = glucides : 17,9 g, protéines : 3,1 g, matières grasses : 4,4 g, fibres : 1,3 g, kJ : 506,6, kcal : 121,2
Portions du guide alimentaire canadien = produits céréaliers : 1
Échanges Diabète Québec = féculents : 1, matières grasses : 1
Équivalents en carrés de sucre = 4 | **Portion d'aliments sucrés : 1**

Faites de l'exercice dans un objectif de plaisir et de bien-être !
Les exercices les plus bénéfiques sont ceux qui sont agréables, amusants et non stressants !

PAIN À LA CITROUILLE

180 ml (3/4 T) de farine blanche à pâtisserie

15 ml (1 c à T) de poudre à pâte

125 ml (1/2 T) de farine de blé entier

80 ml (1/3 T) de cassonade pressée

2 ml (1/2 c à t) de cannelle

2 ml (1/2 c à t) de muscade

2 ml (1/2 c à t) de piment de la Jamaïque (Allspice)

1 œuf

2 blancs d'œufs

60 ml (1/4 T) d'huile

180 ml (3/4 T) de lait

250 ml (1 T) de purée de citrouille

- Tamiser la farine à pâtisserie et la poudre à pâte. Incorporer la farine de blé entier, la cassonade et les épices.
- Dans un autre bol, battre légèrement l'œuf et les blancs d'œufs. Ajouter l'huile, le lait et la purée de citrouille. Incorporer ce mélange aux ingrédients secs.
- Verser dans un moule à pain vaporisé d'enduit végétal antiadhésif.
- Cuire à 180ºC (350ºF) pendant 1 heure à 1 heure 10 minutes ou jusqu'à ce qu'un cure-dent inséré dans la pâte ressorte propre.

RENDEMENT 1 PAIN DE 12 TRANCHES 1 portion = 1 tranche

1 portion = glucides : 17,3 g, protéines : 3,0 g, matières grasses : 5,2 g, fibres : 1,0 g, kJ : 522,1, kcal : 124,9
Portions du guide alimentaire canadien = produits céréaliers : 1
Échanges Diabète Québec = féculents : 1, matières grasses : 1
Équivalents en carrés de sucre = 3 | **Portion d'aliments sucrés : 1**

L'activité physique, c'est bon pour le corps, car cela permet de soulager la constipation, de réduire les risques de souffrir de maladies cardiovasculaires, d'hypertension et de certains types de cancer, d'augmenter la santé des os, d'améliorer le contrôle du diabète et d'augmenter la dépense énergétique du corps au repos.

PAIN AUX POMMES

180 ml (3/4 T) de farine blanche
180 ml (3/4 T) de farine de blé entier
10 ml (2 c à t) de poudre à pâte
5 ml (1 c à t) de bicarbonate de soude
2 ml (1/2 c à t) de gingembre
1 ml (1/4 c à t) de clou de girofle
5 ml (1 c à t) de cannelle
60 ml (1/4 T) de cassonade pressée
1 œuf
60 ml (1/4 T) d'huile
125 ml (1/2 T) de lait
250 ml (1 T) de compote de pommes non sucrée

- Mélanger les farines, la poudre à pâte, le bicarbonate et les épices. Ajouter la cassonade. Bien mélanger.
- Dans un autre bol, battre l'œuf légèrement. Incorporer l'huile, le lait et la compote de pommes. Ajouter au mélange d'ingrédients secs et bien brasser.
- Verser dans un moule à pain vaporisé d'enduit végétal antiadhésif.
- Cuire à 180ºC (350ºF) pendant 45 minutes ou jusqu'à ce qu'un cure-dent introduit dans la pâte ressorte propre.

RENDEMENT 1 PAIN DE 12 TRANCHES 1 portion = 1 tranche

1 portion = glucides : 18,8 g, protéines : 2,7 g, matières grasses : 5,2 g, fibres : 1,5 g, kJ : 542,1, kcal : 129,7
Portions du guide alimentaire canadien = produits céréaliers : 1
Échanges Diabète Québec = féculents : 1 , matières grasses : 1
Équivalents en carrés de sucre = 4 | **Portion d'aliments sucrés : 1**

À quoi sert le gras que nous mangeons ? Il constitue notre principale réserve d'énergie, il isole et protège certaines parties de notre corps telles que nos organes, il entre dans la composition des tissus et il est une source d'éléments nutritifs essentiels.

PAIN À LA SOUPE DE TOMATE

2 blancs d'œufs

60 ml (1/4 T) d'huile

1 boîte de 284 ml (10 oz) de soupe de tomate condensée

180 ml (3/4 T) de farine de blé entier

180 ml (3/4 T) de farine blanche

5 ml (1 c à t) de poudre à pâte

1 ml (1/4 c à t) de bicarbonate de soude

5 ml (1 c à t) de cannelle

2 ml (1/2 c à t) de clou de girofle moulu

60 ml (1/4 T) de sucre

- Battre légèrement les blancs d'œufs. Ajouter l'huile et la soupe de tomate. Bien mélanger.
- Dans un autre bol, mélanger les farines, la poudre à pâte, le bicarbonate, les épices et le sucre.
- Incorporer la préparation liquide aux ingrédients secs. Bien mélanger.
- Verser dans un moule à pain vaporisé d'enduit végétal antiadhésif.
- Cuire à 180ºC (350ºF) pendant 45 à 50 minutes ou jusqu'à ce qu'un cure-dent introduit dans la pâte ressorte propre.

RENDEMENT 1 PAIN DE 14 TRANCHES 1 portion = 1 tranche

1 portion = glucides : 16,3 g, protéines : 2,4 g, matières grasses : 4,4 g, fibres : 1,2 g, kJ : 465,7, kcal : 111,4
Portions du guide alimentaire canadien = produits céréaliers : 1
Échanges Diabète Québec = féculents :1, matières grasses : 1
Équivalents en carrés de sucre = 3 | **Portion d'aliments sucrés : 1**

Vous n'aimez pas boire du lait? Mangez-le en pouding, en blanc-manger... Ce livre est rempli de desserts et de collations à base de lait. Le Guide alimentaire canadien pour manger sainement recommande de 2 à 4 portions de produits laitiers par jour.

POUDING DE MILLET ET FRUITS

10 ml (2 c à t) de margarine
125 ml (1/2 T) de millet
250 ml (1 T) de lait
3 pommes
300 g (environ 500 ml ou 2 T) de fraises
15 ml (1 c à T) de cassonade
1 ml (1/4 c à t) de cannelle
pincée de muscade
2 blancs d'œufs
15 ml (1 c à T) de sucre

- Dans une poêle, faire fondre la margarine, ajouter le millet et faire griller doucement 1 à 2 minutes pour qu'il brunisse légèrement.
- Dans un chaudron, porter le lait à ébullition, ajouter le millet grillé et laisser mijoter à feu doux pendant 20 minutes ou jusqu'à ce que les grains de millet soient tendres.
- Éplucher les pommes, enlever le cœur et les couper grossièrement. Couper les fraises en deux.
- Disposer les fruits dans le fond d'un moule carré de 20 cm x 20 cm (8 po x 8 po) et les saupoudrer de cassonade, de cannelle et de muscade. Étendre le millet cuit uniformément sur les fruits.
- Battre les œufs en neige, ajouter le sucre et étendre sur la préparation de fruits et de millet.
- Cuire au four à 180ºC (350ºF) pendant 15 minutes.
- Servir chaud ou froid.

RENDEMENT 12 PORTIONS

1 portion = glucides : 15 g, protéines : 2,3 g, matières grasses : 1,2 g, fibres : 1,8 g, kJ : 326, kcal : 78
Portions du guide alimentaire canadien = légumes et fruits : 1
Échanges Diabète Québec = fruits : 1
Équivalents en carrés de sucre = 3 | **Portion d'aliments sucrés : 1**

Les légumes feuillus vert foncé, les fruits et les légumes de couleur orangée constituent un excellent choix pour la santé cardiaque et la prévention de certains types de cancer. Exempts de matières grasses, ils regorgent d'antioxydants.

POUDING AU PAIN-PÊCHES

3 pêches (fraîches ou en conserve) coupées en morceaux

30 ml (2 c à T) de raisins secs

2 tranches de pain de blé entier coupées en cubes

375 ml (1 1/2 T) de lait chaud

10 ml (2 c à t) de margarine

5 ml (1 c à t) de vanille

1 œuf

1 blanc d'œuf

pincée de sel

- Déposer, dans un moule à pain, les pêches, les raisins secs et les cubes de pain.
- Mélanger ensemble le lait chaud, la margarine, la vanille, l'œuf et le blanc d'œuf légèrement battus ainsi que le sel.
- Verser sur la préparation de pain et de fruits.
- Cuire au four à 180ºC (350ºF) pendant 45 minutes.

RENDEMENT 6 PORTIONS

1 portion = glucides : 15,1 g, protéines : 4,9 g, matières grasses : 2,6 g, fibres : 1,7 g, kJ : 413,8, kcal : 99
Portions du guide alimentaire canadien = produits céréaliers : 1/2, légumes et fruits : 1/2
Échanges Diabète Québec = féculents : 1/2, fruits : 1/2, matières grasses : 1/2
Équivalents en carrés de sucre = 3 | **Portion d'aliments sucrés : 1**

Sur les étiquettes de la plupart des produits laitiers, vous retrouverez le pourcentage de matières grasses (% m.g.) contenus dans l'aliment. Regardez-le afin de vous aider à les choisir plus faibles en matières grasses.

CLAFOUTIS AUX BANANES ET AUX ANANAS

1 petite banane

8 tranches d'ananas

45 ml (3 c à T) de sucre

15 ml (1 c à T) de margarine

2 œufs

2 blancs d'œufs

45 ml (3 c à T) de farine de blé entier

250 ml (1 T) de lait

6 cerises au marasquin

- Couper la banane et les tranches d'ananas en morceaux. Les disposer dans le fond d'un moule carré de 20 cm x 20 cm (8 po x 8 po) vaporisé d'enduit végétal antiadhésif.
- Dans un bol, mélanger le sucre, la margarine, les œufs et les blancs d'œufs ; terminer par la farine.
- Diluer cette pâte avec le lait et la verser sur les fruits.
- Décorer avec les cerises coupées en deux.
- Cuire au four à 180ºC (350ºF) pendant 50 minutes.

RENDEMENT 12 PORTIONS

1 portion = glucides : 12,3 g, protéines : 2,7 g, matières grasses : 1,9 g, fibres : 0,8 g, kJ : 310,2, kcal : 74,2
Portions du guide alimentaire canadien = légumes et fruits : 1
Échanges Diabète Québec = fruits : 1, matières grasses : 1/2
Équivalents en carrés de sucre = 2 | **Portion d'aliments sucrés : 1**

Un aliment à « faible teneur en matières grasses » ne contient pas plus de 3 grammes de gras par portion. Sachez qu'une cuillère à thé de beurre, d'huile ou de margarine contient environ 5 grammes de gras.

POUDING AU PAIN À L'ÉRABLE

2 tranches de pain de blé entier coupées en petits cubes

4 pommes épluchées et coupées en morceaux

2 œufs

60 ml (2 c à T) de sirop d'érable

5 ml (1 c à t) d'essence d'érable

pincée de cannelle ou de gingembre

pincée de sel

375 ml (1 1/2 T) de lait écrémé chaud

- Dans le fond d'un moule à pain, disposer le pain et les pommes.
- Dans un bol, battre légèrement les œufs ; y ajouter le sirop, l'essence d'érable, la cannelle ou le gingembre et le sel. Terminer par le lait chaud.
- Verser ce mélange sur le pain et les pommes.
- Cuire au four à 160ºC (325ºF) pendant 1 heure.

RENDEMENT 6 PORTIONS

1 portion = glucides : 26,5 g, protéines : 5 g, matières grasses : 2,2 g, fibres : 2 g, kJ : 586,9, kcal : 140,4
Portions du guide alimentaire canadien = produits céréaliers : 1/2, légumes et fruits : 1/2, produits laitiers : 1/2
Échanges Diabète Québec = féculents : 1/2, fruits : 1/2, matières grasses : 1/2, lait : 1/2, aliments avec sucre ajouté : 1/2
Équivalents en carrés de sucre = 5 | **Portions d'aliments sucrés : 2**

Choisissez de préférence des fromages de moins de 20% de matières grasses (20% M.G.), du lait et des yogourts de moins de 2% de matières grasses (2% M.G.), cela vous permettra de réduire votre apport en gras tout en préservant le plaisir de déguster des produits laitiers.

BOULES DE BLÉ À LA RHUBARBE

1 L (4 T) de rhubarbe en morceaux

125 ml (1/2 T) de sucre

2 ml (1/2 c à t) de gingembre

180 ml (3/4 T) de farine blanche

180 ml (3/4 T) de farine de blé entier

5 ml (1 c à t) de bicarbonate de soude

180 ml (3/4 T) de lait

60 ml (1/4 T) de margarine

- Disposer la rhubarbe dans un plat carré allant au four de 20 cm x 20 cm (8 po x 8 po). Saupoudrer la rhubarbe de sucre.
- Cuire au four à 200ºC (400ºF) pendant environ 30 minutes ou jusqu'à ce que la rhubarbe soit molle.
- Pendant ce temps, dans un bol, tamiser ensemble les farines et le bicarbonate de sodium. En brassant, ajouter le lait puis la margarine pour obtenir une pâte lisse.
- Retirer la rhubarbe du four. Laisser tomber la pâte en 9 boules sur la rhubarbe cuite.
- Remettre au four et cuire à 200ºC (400ºF) pendant 30 minutes ou jusqu'à ce que les boules de pâte soient bien dorées.
- Servir chaud ou froid.

RENDEMENT 9 PORTIONS

1 portion = glucides : 30 g, protéines : 3,7 g, matières grasses : 5,5 g, fibres : 1,6 g, kJ : 749,1, kcal : 179,2
Portions du guide alimentaire canadien = produits céréaliers : 1/2, légumes et fruits : 1/2
Échanges Diabète Québec = féculents : 1/2, fruits : 1/2, matières grasses : 1, aliments avec sucre ajouté : 1
Équivalents en carrés de sucre = 6 | **Portions d'aliments sucrés : 2**

Un aliment à « teneur réduite en calories » contient 50% moins de calories que l'aliment qu'il remplace, mais regardez la grosseur de la portion sur l'étiquette !

POUDING AU PAIN CLASSIQUE

2 tranches de pain de blé entier coupées en petits cubes
125 ml (1/2 T) de raisins secs
2 œufs
60 ml (1/4 T) de sucre
5 ml (1 c à t) de vanille
pincée de sel
500 ml (2 T) de lait chaud

- Dans le fond d'un moule à pain, disposer le pain et les raisins secs.
- Dans un bol, battre légèrement les œufs, y ajouter le sucre, la vanille, le sel et terminer par le lait chaud.
- Verser ce mélange sur le pain et les raisins secs.
- Cuire au four à 160ºC (325ºF) pendant 1 heure.

Rendement 6 portions

1 portion = glucides : 27,8 g, protéines : 6,1 g, matières grasses : 2,2 g, fibres : 1,6 g, kJ : 623,6, kcal : 149,2
Portions du guide alimentaire canadien = produits céréaliers : 1/2, légumes et fruits : 1/2, produits laitiers : 1/2
Échanges Diabète Québec = féculents : 1/2, fruits : 1/2, lait : 1/2, matières grasses : 1/2, aliments avec sucre ajouté : 1/2
Équivalents en carrés de sucre = 6 | **Portions d'aliments sucrés : 2**

Sauter des repas n'est pas une bonne méthode pour perdre du poids car le métabolisme brûle mieux les calories réparties sur plusieurs repas.

CARRÉS AUX DATTES

500 ml (2 T) de dattes
250 ml (1 T) d'eau
125 ml (1/2 T) de farine blanche
125 ml (1/2 T) de farine de blé entier
310 ml (1 1/4 T) de farine d'avoine
5 ml (1 c à t) de poudre à pâte
80 ml (1/3 T) de cassonade pressée
80 ml + 15 ml (1/3 T + 1 c à T) d'huile

- Mettre les dattes et l'eau dans un chaudron. Couvrir et faire bouillir à feu doux-moyen environ 5 minutes ou jusqu'à ce que les dattes soient réduites en purée et qu'il ne reste plus de liquide. Laisser tiédir.
- Dans un bol, mélanger les farines, la poudre à pâte et la cassonade. Ajouter l'huile. Bien mélanger à l'aide d'une fourchette.
- Étendre la moitié du mélange de farines dans un moule de 20 cm x 20 cm (8 po x 8 po). Presser à l'aide d'une cuillère. Déposer les dattes cuites. Répartir uniformément.
- Ajouter le reste de la préparation de farines et presser à nouveau.
- Cuire à 180ºC (350ºF) pendant 25 à 30 minutes.

RENDEMENT 16 PORTIONS

1 portion = glucides : 33,6 g, protéines : 2,5 g, matières grasses : 6,2 g, fibres : 3,5 g, kJ : 796,7, kcal : 190,6
Portions du guide alimentaire canadien = produits céréaliers : 1, légumes et fruits : 1
Échanges Diabète Québec = féculents : 1, fruits : 1, matières grasses : 1
Équivalents en carrés de sucre = 7 | **Portions d'aliments sucrés : 2**

Faites preuve d'ouverture d'esprit et d'initiative : essayez, innovez et, surtout, persévérez. Varier son alimentation et changer ses habitudes alimentaires demandent du temps et des tentatives répétées.

DIVINITÉ AUX PÊCHES

1 recette de blanc-manger traditionnel
(voir recette page 108)

9 biscuits graham

1 boîte de pêches en conserve (398 ml ou 14 oz) dans un sirop léger

1 sachet de gélatine neutre

60 ml (1/4 T) d'eau froide

60 ml (1/4 T) d'eau bouillante

- Dans le fond d'un moule carré de 20 cm x 20 cm (8 po x 8 po), étendre la recette de blanc-manger. Placer 5 à 10 minutes au congélateur pour permettre au pouding de devenir ferme.
- Pendant ce temps, dans un bol, saupoudrer la gélatine sur l'eau froide; laisser reposer 1 minute.
- Ajouter l'eau bouillante et remuer constamment jusqu'à ce que la gélatine soit complètement dissoute.
- Dans un robot culinaire ou un mélangeur, mélanger les pêches, le sirop léger des pêches et la gélatine. Bien mélanger à puissance maximale jusqu'à consistance mousseuse.
- Sortir le blanc-manger du congélateur, disposer à la surface les 9 biscuits graham.
- Verser la préparation de fruits délicatement sur les biscuits.
- Réfrigérer.

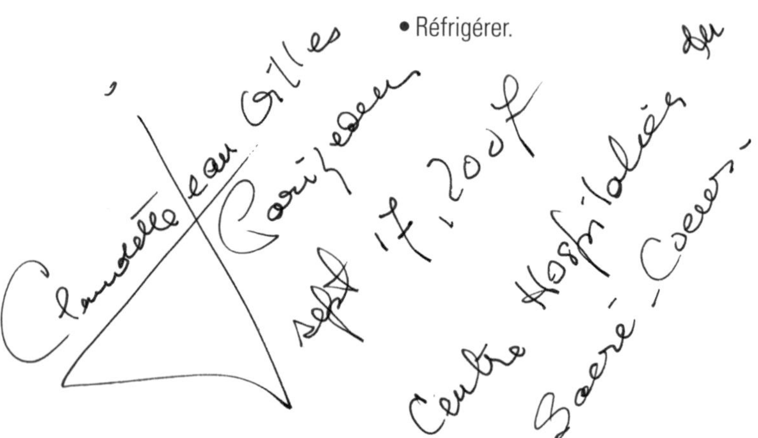

Rendement 9 portions

1 portion = glucides : 20 g, protéines : 3,6 g, matières grasses : 0,8 g, fibres : 0,6 g, kJ : 409,2, kcal : 97,9
Portions du guide alimentaire canadien = produits céréaliers : 1/2, légumes et fruits : 1/2, produits laitiers : 1/2
Échanges Diabète Québec = fruits : 1/2, lait : 1/2
Équivalents en carrés de sucre = 4 | **Portion d'aliments sucrés : 1**

Les produits « sans gras » contiennent moins de 0,5 gramme de gras par portion, mais attention, ils peuvent tout de même renfermer beaucoup de sucre et de calories. Lisez bien les étiquettes.

CARRÉS AU RIZ CROUSTILLANT CHOCOLATÉS

60 ml (1/4 T) de margarine

20 grosses guimauves*

5 ml (1 c à t) de vanille

1,25 L (5 T) de céréales de riz croustillant

250 ml (1 T) de pépites de chocolat mi-sucré

*Remplacer au besoin les 20 grosses guimauves par 810 ml (3 1/4 T) de guimauves miniatures.

- Dans une grande casserole, faire fondre la margarine à feu doux.
- Ajouter les guimauves et les laisser fondre en brassant constamment.
- Retirer du feu et ajouter la vanille, les céréales de riz croustillant et terminer par les pépites de chocolat. Bien mélanger.
- Presser dans un grand moule de 34 cm x 22 cm (13 1/2 po x 8 1/2 po) vaporisé d'enduit végétal antiadhésif. Laisser reposer 30 minutes avant de couper.

RENDEMENT 24 CARRÉS 1 portion = 1 portion

1 portion = glucides : 14,4 g, protéines : 0,8 g, matières grasses : 4 g, fibres : 0,1 g, kJ : 385,8, kcal : 92,3
Portions du guide alimentaire canadien = produits céréaliers : 1/2
Échanges Diabète Québec = féculents : 1/2, matières grasses : 1, aliments avec sucre ajouté : 1/2
Équivalents en carrés de sucre = 3 | **Portion d'aliments sucrés : 1**

Les aliments « légers » sont légers en énergie (calories/kilojoules) ou en matières grasses seulement si l'étiquette le mentionne. Léger au goût désigne un aliment qui n'a de léger... que le goût.

POMMES ET YOGOURT EN CARRÉS

60 ml (1/4 T) de margarine

250 ml (1 T) de chapelure graham

1,25 L (5 T) de pommes épluchées et coupées en morceaux

125 ml (1/2 T) d'eau

1 ml (1/4 c à t) de cannelle

1 pincée de clou de girofle moulu

250 ml (1 T) de yogourt nature

2 blancs d'œufs

- Faire fondre la margarine, et la mélanger avec la chapelure graham.
- Dans un moule carré de 20 cm x 20 cm (8 po x 8 po) allant au four, étendre uniformément ce mélange et bien presser à l'aide d'une cuillère.
- Cuire au four à 200ºC (400ºF) pendant 5 minutes. Retirer du four et réserver.
- Dans une casserole, déposer les pommes, l'eau, la cannelle et la pincée de clou de girofle. Cuire à feu doux jusqu'à ce que les pommes soient très molles.
- Retirer du feu et piler les pommes à l'aide d'un pilon.
- Ajouter au mélange de pommes la moitié du yogourt et bien mélanger. Étendre sur la croûte graham.
- Battre les blancs d'œufs en neige jusqu'à l'obtention de pics fermes, y ajouter l'autre moitié du yogourt délicatement. Étendre sur le mélange de pommes. Réfrigérer.

RENDEMENT 16 PORTIONS

1 portion = glucides : 15,8 g, protéines : 1,9 g, matières grasses : 3,7 g, fibres : 1,3 g, kJ : 411,7, kcal : 98,5
Portions du guide alimentaire canadien = légumes et fruits : 1
Échanges Diabète Québec = fruits : 1, matières grasses : 1
Équivalents en carrés de sucre = 4 | **Portion d'aliments sucrés : 1**

Au restaurant, à l'épicerie et dans votre cuisine, mettez vos connaissances sur la nutrition en pratique; vous en serez fier et vous vous sentirez mieux.

LAIT FRAPPÉ
DES TROPIQUES
PAGE 106

MOUSSE AUX FRAMBOISES
PAGE 55

PANIER EXOTIQUE
PAGE 38

BISCUITS AU SON D'AVOINE
PAGE 70

SORBET AUX KIWIS
PAGE 78

CRÈME CARAMEL
PAGE 101

CRÊPES RUSSES AUX FRUITS
PAGE 97

DES REMERCIEMENTS...

Immaculæ conception graphique

et Laurent Lavaill, graphiste

Pour la confection des recettes et le stylisme :
Patrick Bovoli
Marie-Éve Charron

Pour la vaisselle :
Zone, avenue Cartier, Québec

Pour les photos :
Sylvain Gamache

Pour les locaux :
Le Collège Mérici

POIRES AU VIN ROUGE
PAGE 42

CRÊPES RUSSES AUX FRUITS

CRÊPES

125 ml (1/2 T) de lait

60 ml (1/4 T) de farine blanche

60 ml (1/4 T) de farine de sarrasin

1 pincée de sel

1 blanc d'œuf en neige

GARNITURE

250 ml (1 T) de yogourt nature

45 ml (3 c à T) de miel

2 pêches en tranches minces

2,5 ml (1/2 c à t) de vanille

CRÊPES

- Mélanger tous les ingrédients, en finissant par le blanc d'œuf en neige, jusqu'à consistance homogène.
- Dans une poêle anti-adhésive vaporisée d'enduit végétal antiadhésif, verser 30 ml (2 c à T) de pâte et faire cuire 30 secondes à 1 minute de chaque côté. Bien étendre la pâte pour faire des crêpes minces. Répéter avec le reste de la pâte.

GARNITURE

- Mélanger tous les ingrédients.
- Déposer environ 45 ml (3 c à T) de garniture sur chaque crêpe, puis les rouler. Disposer les crêpes roulées dans une assiette de service et verser environ 15 ml (1 c à T) de garniture sur chaque crêpe roulée.

RENDEMENT 6 PORTIONS

1 portion = glucides : 29,3 g, protéines : 5,1 g, matières grasses : 2,3 g, fibres : 0,9 g, kJ : 632,4, kcal : 151,3
Portions du guide alimentaire canadien = produits céréaliers : 1/2, légumes et fruits :1/2, produits laitiers : 1/2
Échanges Diabète Québec = féculents : 1/2, fruits : 1/2, lait : 1/2, matières grasses : 1/2, aliments avec sucre ajouté : 1/2
Équivalents en carrés de sucre = 6 | **Portions d'aliments sucrés : 2**

Les aliments riches en fibres possèdent un bon pouvoir rassasiant qui peut contribuer à faciliter la perte de poids.

CRÊPES FACILES ET RAPIDES

125 ml (1/2 T) de farine de blé entier

125 ml (1/2 T) de farine blanche

1 ml (1/4 c à t) de poudre à pâte

2 œufs

250 ml (1 T) de lait

- Mélanger les farines et la poudre à pâte.
- Dans un autre bol, battre légèrement les œufs. Incorporer le lait. Verser cette préparation sur les ingrédients secs. Bien mélanger à l'aide d'un fouet.
- Chauffer à feu moyen-élevé un poêlon antiadhésif ou vaporisé d'enduit antiadhésif jusqu'à ce qu'il soit chaud.
- Y déposer 80 ml (1/3 T) de mélange à crêpe et former un cercle.
- Cuire environ 1 minute ou jusqu'à ce que des bulles apparaissent à la surface et que le dessous de la crêpe soit bien doré. Tourner la crêpe et cuire jusqu'à ce que le dessous soit bruni.
- Garnir d'un coulis, de yogourt aux fruits ou de toute autre garniture (voir la section Glaçages, garnitures, autres)

Si désiré, vous pouvez ajouter une des suggestions suivantes à la préparation :

- 1 ml (1/4 c à t) de cannelle
- 7 à 10 ml (1 1/2 à 2 c à t) de zeste d'orange ou de citron
- 3 ml (3/4 c à t) d'essence de vanille ou d'érable

RENDEMENT 6 CRÊPES 1 portion = 1 crêpe

1 portion = glucides : 17,4 g, protéines : 5,7 g, matières grasses : 1,9 g, fibres : 1,6 g, kJ : 453,1, kcal : 108,4
Portions du guide alimentaire canadien = produits céréaliers : 1
Échanges Diabète Québec = féculents : 1, matières grasses : 1/2
Équivalents en carrés de sucre = 3 | **Portion d'aliments sucrés : 1**

Une boîte à lunch complète doit contenir des aliments choisis dans chacun des 4 groupes du Guide alimentaire canadien pour manger sainement.

ŒUFS À LA NEIGE

4 blancs d'œufs
160 ml (2/3 T) de sucre
1 L (4 T) d'eau
20 ml (4 c à t) de fécule de maïs
500 ml (2 T) de lait écrémé
3 jaunes d'œufs
5 ml (1 c à t) de vanille

- Monter les blancs d'œufs en neige jusqu'à l'obtention de pics fermes. Y ajouter 60 ml (1/4 T) de sucre.
- Dans une casserole, faire chauffer 1 L (4 T) d'eau. Lorsque l'eau est tout près du point d'ébullition (elle ne doit pas bouillir), y déposer les blancs d'œufs en neige par grosses cuillerées, 6 au total. Laisser cuire environ 1 minute (retourner à la mi-cuisson). Retirer de l'eau et laisser égoutter le surplus d'eau sur du papier absorbant. Réfrigérer.
- Délayer la fécule dans un peu de lait froid et mélanger au reste du lait dans une casserole. Ajouter le reste du sucre, les jaunes d'œufs légèrement battus et la vanille.
- Chauffer doucement, en brassant constamment, jusqu'à épaississement (texture de sauce crémeuse). Laisser cuire 1 à 2 minutes. Réfrigérer.
- Verser la sauce dans un plat de service et y disposer les boules de blanc d'œuf à la surface. Servir froid.

RENDEMENT 6 PORTIONS

1 portion = 1 boule d'œuf en neige avec 80 ml (1/3 T) de sauce

1 portion = glucides : 32,1 g, protéines : 6,8 g, matières grasses : 2,9 g, fibres : 0 g, kJ : 752, kcal : 179,9
Portions du guide alimentaire canadien = produits laitiers : 1/2
Échanges Diabète Québec = lait : 1/2, matières grasses : 1/2, aliments avec sucre ajouté : 2
Équivalents en carrés de sucre = 6 | **Portions d'aliments sucrés : 2**

La répartition recommandée pour la plupart des gens, chaque jour, en termes de calories /kilojoules est la suivante : 55 % doivent provenir des glucides (tous les types de sucres inclus), 15 % des protéines et 30 % des matières grasses (10 % monoinsaturés, 10 % polyinsaturés, 10 % saturés).

MOUSSE MOKA

125 ml (1/2 T) de pépites de chocolat mi-sucré

30 ml (2 c à T) de lait

15 ml (1 c à T) de café instantané

5 blancs d'œufs

60 ml (1/4 T) de cassonade

- Au bain-marie, faire fondre les pépites de chocolat, ajouter le lait et le café. Laisser chauffer quelques minutes.
- Battre les blancs d'œufs en neige jusqu'à l'obtention de pics fermes. Ajouter la cassonade.
- Incorporer les blancs d'œufs battus au mélange de chocolat.
- Verser dans des coupes à dessert et réfrigérer plusieurs heures avant de servir.

RENDEMENT 6 PORTIONS de 125 ml (1/2 T) environ

1 portion = glucides : 18,7 g, protéines : 3,4 g, matières grasses : 4,2 g, fibres : 0 g, kJ : 491,6, kcal : 117,6
Portion du guide alimentaire canadien = aucune
Échanges Diabète Québec = matières grasses : 1, aliments avec sucre ajouté : 1
Équivalents en carrés de sucre = 4 | **Portion d'aliments sucrés : 1**

CRÈME CARAMEL

60 ml (1/4 T) de sucre
3 œufs entiers
1 blanc d'œuf
125 ml (1/2 T) de sucre
5 ml (1 c à t) de vanille
500 ml (2 T) de lait

- Dans une petite casserole, à feu très doux, faire fondre 60 ml (1/4 T) de sucre, jusqu'à ce qu'il ait une belle coloration dorée. Faire très attention car le sucre a tendance à coller et à brûler facilement.
- Déposer le sucre fondu dans le fond de 6 petits moules individuels en verre allant au four.
- Dans un bol, mélanger légèrement les œufs entiers, le blanc d'œuf, le sucre et la vanille.
- Tiédir le lait. Il faut qu'il soit très chaud au toucher. Ajouter le mélange d'œufs, bien mélanger et verser dans les moules sur le sucre fondu.
- Déposer les 6 petits moules dans un grand moule carré peu profond allant au four. Verser de l'eau dans ce grand moule jusqu'à ce que le niveau atteigne environ 1 cm du bord des petits moules.
- Cuire au four à 190ºC (375ºF) environ 50 à 60 minutes.
- Laisser refroidir et réfrigérer.
- Servir dans les moules ou renverser une fois refroidis.

RENDEMENT 6 PORTIONS

1 portion = glucides : 29,3 g, protéines : 6,1 g, matières grasses : 2,4 g, fibres : 0 g, kJ : 675,1, kcal : 161,5
Portion du guide alimentaire canadien = aucune
Échanges Diabète Québec = viandes et substituts : 1/2, aliments avec sucre ajouté : 2
Équivalents en carrés de sucre = 6 | **Portions d'aliments sucrés : 2**

Des céréales de grains entiers avec du lait auxquelles vous ajoutez un fruit, voilà un déjeuner complet.

VELOUTÉ DE FROMAGE BLANC AUX FRUITS

180 ml (3/4 T) de pêches
180 ml (3/4 T) de poires
250 g de fromage ricotta (environ 250 ml ou 1 T)

- Déposer les fruits dans le bol d'un robot culinaire ou d'un mélangeur et les réduire en purée.
- Ajouter le fromage et bien mélanger jusqu'à consistance lisse.

Parfait pour la boîte à lunch ou pour tartiner les rôties.

RENDEMENT 4 PORTIONS de 125 ml (1/2 T)

1 portion = glucides : 14,6 g, protéines : 7,6 g, matières grasses : 5 g, fibres : 1,4 g, kJ : 543,4, kcal : 130
Portions du guide alimentaire canadien = légumes et fruits : 1, produits laitiers : 1/2
Échanges Diabète Québec = fruits : 1, viandes et substituts : 1/2, matières grasses : 1/2
Équivalents en carrés de sucre = 3 | **Portion d'aliments sucrés : 1**

Le cholestérol provient d'aliments d'origine animale seulement; il n'y en a donc pas dans les légumes, les fruits, les huiles végétales, la margarine, les céréales, les noix, etc. Mais attention, sans cholestérol ne signifie pas nécessairement sans gras. Pensez aux croustilles (chips) cuites dans l'huile végétale, elles ne renferment pas de cholestérol mais beaucoup de gras.

PLAISIR LACTÉ AUX POMMES

30 ml (2 c à T) de tapioca minute
250 ml (1 T) de lait
250 ml (1 T) de yogourt ferme
30 ml (2 c à T) de cassonade
250 ml (1 T) de sauce aux pommes non sucrée (voir recette page 52)
5 ml (1 c à t) de vanille

- Dans une casserole, bien mélanger le tapioca, le lait, le yogourt et la cassonade.
- Porter à ébullition et laisser mijoter jusqu'à épaississement, environ 2 minutes. Retirer du feu et laisser reposer quelques minutes.
- Ajouter la sauce aux pommes et la vanille, bien mélanger.
- Réfrigérer.

RENDEMENT 6 PORTIONS de 125 ml (1/2 T) environ

1 portion = glucides : 32,9 g, protéines : 3,6 g, matières grasses : 0,3 g, fibres : 1,4 g, kJ : 596,1, kcal : 142,6
Portions du guide alimentaire canadien = produits céréaliers : 1/2, légumes et fruits : 1, produits laitiers : 1/2
Échanges Diabète Québec = féculents : 1/2, fruits : 1, lait : 1/2
Équivalents en carrés de sucre = 7 | **Portions d'aliments sucrés : 2**

Choisissez une margarine molle et recherchez la mention « non hydrogénée » sur l'étiquette. Même si ces margarines sont de bonne qualité, il ne faut pas oublier qu'elles constituent une source de matières grasses. Il faut donc les utiliser avec modération.

LAIT ORANGÉ

1 sachet de gélatine neutre
60 ml (1/4 T) d'eau froide
60 ml (1/4 T) d'eau bouillante
250 ml (1 T) de jus d'orange
250 ml (1 T) de lait de beurre (babeurre)
5 ml (1 c à t) de zeste de citron râpé

- Dans un bol, saupoudrer la gélatine sur l'eau froide; laisser reposer pendant 1 minute.
- Ajouter l'eau bouillante et remuer constamment jusqu'à ce que la gélatine soit complètement dissoute.
- Ajouter le reste des ingrédients, bien mélanger.
- Diviser en portions et réfrigérer jusqu'à l'obtention d'une consistance ferme.

Décorer avec un quartier de clémentine, d'orange ou de mandarine.

RENDEMENT 4 PORTIONS de 125 ml (1/2 T) environ

1 portion = glucides : 9,2 g, protéines : 4 g, matières grasses : 0,2 g, fibres : 0,3 g, kJ : 224,5, kcal : 53,7
Portions du guide alimentaire canadien = légumes et fruits : 1/2, produits laitiers : 1/2
Échanges Diabète Québec = fruits : 1/2, lait : 1/2
Équivalents en carrés de sucre = 2 | **Portion d'aliments sucrés : 1/2**

Les glucides (sucres), les protéines et les lipides (matières grasses) fournissent de l'énergie à l'organisme; les vitamines et les minéraux ne sont pas une source d'énergie mais sont essentiels au bon fonctionnement du corps et au maintien de la santé.

POUDING AU CHOCOLAT

30 ml (2 c à T) de fécule de maïs
500 ml (2 T) de lait
30 ml (2 c à T) de sucre
125 ml (1/2 T) de pépites de chocolat mi-sucré

- Dissoudre parfaitement la fécule de maïs dans un peu de lait, ajouter le reste du lait et bien mélanger.
- Dans une casserole, mettre le mélange de lait et de fécule de maïs, ainsi que le sucre et les pépites de chocolat.
- À feu doux, porter doucement à ébullition en brassant constamment.
- Laisser mijoter 1 à 2 minutes.
- Diviser en portions et réfrigérer.

RENDEMENT 4 PORTIONS de 125 ml (1/2 T) environ

1 portion = glucides : 30,1 g, protéines : 5,1 g, matières grasses : 6,9 g, fibres : 0 g, kJ : 791,3, kcal : 189,3
Portions du guide alimentaire canadien = produits laitiers : 1/2
Échanges Diabète Québec = lait : 1/2, matières grasses : 1, aliments avec sucre ajouté : 1 1/2
Équivalents en carrés de sucre = 6 | **Portions d'aliments sucrés : 2**

Plus vous mangez une grande variété d'aliments au fil du temps, plus grandes sont vos chances d'obtenir tous les éléments nutritifs essentiels à une bonne santé. Explorez les rayons de votre supermarché, les comptoirs de la fruiterie et le menu des restaurants pour faire des découvertes... santé.

LAIT FRAPPÉ DES TROPIQUES

250 ml (1 T) de lait
1/2 mangue
1/2 banane
15 ml (1 c à T) de sucre

- Mettre tous les ingrédients dans un mélangeur ou un robot culinaire.
- Mélanger jusqu'à consistance lisse.
- Servir très froid.

RENDEMENT 2 PORTIONS de 250 ml environ

1 portion = glucides : 27,7 g, protéines : 4,7 g, matières grasses : 0,5 g, fibres : 1,5 g, kJ : 530,9, kcal : 127
Portions du guide alimentaire canadien = légumes et fruits : 1 1/2, produits laitiers : 1/2
Échanges Diabète Québec = fruits : 1 1/2, lait : 1/2
Équivalents en carrés de sucre = 6 | **Portions d'aliments sucrés : 2**

Les phytoestrogènes, hormones végétales contenues principalement dans les produits à base de soya (fèves, boisson et farine de soya, tofu, etc.) pourraient jouer un rôle dans la prévention de l'ostéoporose, des maladies cardiovasculaires et de certains cancers (sein, prostate), en plus de soulager quelques symptômes reliés à la ménopause (bouffées de chaleur).

POUDING AU RIZ RAPIDE

30 ml (2 c à T) de fécule de maïs
500 ml (2 T) de lait
250 ml (1 T) de riz cuit
20 ml (4 c à t) de sucre
5 ml (1 c à t) de vanille ou d'essence d'érable

- Dissoudre parfaitement la fécule de maïs dans un peu de lait, ajouter le reste du lait et les autres ingrédients.
- Porter doucement à ébullition et laisser mijoter à feu doux pendant 5 à 10 minutes en brassant constamment.
- Diviser en portions et réfrigérer.

RENDEMENT 4 PORTIONS de 125 ml (1/2 T)

1 portion = glucides : 24,7 g, protéines : 5,2 g, matières grasses : 0,3 g, fibres : 0,3 g, kJ : 520,4, kcal : 124,5
Portions du guide alimentaire canadien = produits céréaliers : 1, produits laitiers : 1/2
Échanges Diabète Québec = féculents : 1, lait : 1/2
Équivalents en carrés de sucre = 5 | **Portions d'aliments sucrés : 2**

Les personnes qui sautent des repas sont moins productives au travail et plus lentes à prendre des décisions. Pensez toujours à avoir sous la main une collation nutritive.

BLANC-MANGER TRADITIONNEL

500 ml (2 T) de lait
45 ml (3 c à T) de sucre
5 ml (1 c à t) de vanille
pincée de sel
45 ml (3 c à T) de fécule de maïs
45 ml (3 c à T) de lait froid

- Dans une casserole, faire chauffer 500 ml (2 T) de lait, le sucre, la vanille et le sel, à feu doux.
- Bien délayer la fécule dans 45 ml (3 c à T) de lait froid.
- Lorsque le lait bout, en verser un peu dans le mélange de fécule pour le réchauffer et l'ajouter au lait bouillant en brassant constamment avec un fouet.
- Laisser mijoter à feu doux quelques minutes, toujours en brassant.
- Diviser en portions et réfrigérer.

Pour un blanc-manger à l'érable, remplacer le sucre et la vanille par une quantité équivalente de sirop d'érable et d'essence d'érable.

RENDEMENT 4 PORTIONS d'environ 125 ml (1/2 T)

1 portion = glucides : 21,5 g, protéines : 4,6 g, matières grasses : 0,2 g, fibres : 0,1 g, kJ : 456, kcal : 109,1
Portions du guide alimentaire canadien = produits laitiers : 1/2
Échanges Diabète Québec = lait : 1/2, aliments avec sucre ajouté : 1
Équivalents en carrés de sucre = 4 | **Portion d'aliments sucrés : 1 1/2**

C'est la qualité et la quantité totale de matières grasses dans l'alimentation, et non le cholestérol alimentaire, qui influenceront le plus le taux de cholestérol sanguin. Environ 80 % du cholestérol qui circule dans le sang est fabriqué par le foie, le 20 % restant provient des aliments.

CHOUX À LA CRÈME

250 ml (1 T) d'eau
80 ml (1/3 T) de margarine
250 ml (1 T) de farine blanche
2 œufs
2 blancs d'œufs

- Mettre l'eau dans une casserole et y ajouter la margarine. Amener à ébullition. Brasser jusqu'à ce que la margarine soit fondue. Réduire la chaleur à minimum.
- Ajouter la farine et battre rigoureusement jusqu'à ce que la pâte forme une boule et qu'elle se détache des parois de la casserole.
- Retirer du feu et laisser tiédir environ 3 minutes.
- Ajouter les œufs et les blancs d'œufs en battant bien à l'aide d'un fouet.
- À l'aide d'une cuillère à table, déposer la pâte sur 2 plaques à pâtisserie vaporisées d'enduit végétal antiadhésif. Espacer les boules de pâte de 5 cm (2 po).
- Cuire à 220ºC (425ºF) pendant 15 minutes puis réduire la chaleur à 180ºC (350ºF). Poursuivre la cuisson pendant environ 25 minutes. Laisser tiédir. Couper en deux pour garnir.

EXEMPLES DE GARNITURE

1) 30 ml (2 c à T) de yogourt glacé ou de lait glacé à 2% m.g. ou moins. Refermer le chou et y verser 30 ml (2 c à T) de coulis de fruits.
2) 30 ml (2 c à T) de blanc-manger traditionnel.

Refermer le chou et y verser 30 ml (2 c à T) de coulis de fruits.

RENDEMENT 18 CHOUX DE GROSSEUR MOYENNE 1 chou = 1 portion

1 portion = glucides : 5,4 g, protéines : 1,7 g, matières grasses : 3,9 g, fibres : 0,2 g, kJ : 268,4, kcal : 64,2
Portions du guide alimentaire canadien = produits céréaliers : 1/3
Échanges Diabète Québec = féculents : 1/3, matières grasses : 1
Équivalents en carré de sucre = 1 | **Portion d'aliments sucrés : 1/3**

1 portion avec 30 ml (2 c à T) de lait glacé ou de yogourt glacé et 30 ml (2 c à T) de coulis =
glucides : 11,8 g, protéines : 2,6 g, matières grasses : 4,8 g, fibres : 1,0 g, kJ : 411,7, kcal : 98,5
Portions du guide alimentaire canadien = produits céréaliers : 1/2
Échanges Diabète Québec = féculents : 1/2, matières grasses : 1, aliments avec sucre ajouté : 1/2
Équivalents en carrés de sucre = 2 | **Portion d'aliments sucrés : 1**

1 portion avec 30 ml (2 c. à T) de blanc-manger traditionnel et 30 ml (2 c. à T) de coulis =
glucides : 13,2 g, protéines : 3,1 g, matières grasses : 4,1 g, fibres : 1,1 g, kJ : 423,9, kcal : 101,4
Portions du guide alimentaire canadien = produits céréaliers : 1/2
Échanges Diabète Québec = féculents : 1/2, matières grasses : 1, aliments avec sucre ajouté : 1/2
Équivalents en carrés de sucre = 3 | **Portion d'aliments sucrés : 1**

GRANDS-PÈRES AUX BLEUETS

PÂTE

10 ml (2 c à t) de margarine

180 ml (3/4 T) de farine blanche

10 ml (2 c à t) de poudre à pâte

80 ml (1/3 T) de lait

SAUCE

300 g ou 500 ml (2 T) de bleuets

60 ml (1/4 T) de sucre

15 ml (1 c à T) de farine

45 ml (3 c à T) d'eau

- Mettre la margarine au congélateur pendant environ 20 minutes pour lui conférer une texture plus dure.
- Dans un bol, mélanger 180 ml (3/4 T) de farine et la poudre à pâte. Ajouter la margarine durcie et couper dans la farine à l'aide de deux couteaux jusqu'à ce que la margarine forme des petites boules de la grosseur d'un pois. Ajouter le lait.
- Mettre les bleuets, le sucre, 15 ml (1 c à T) de farine et l'eau dans un chaudron. Cuire à feu doux-moyen en remuant occasionnellement.
- Diviser la pâte en 6 et déposer les boules de pâte sur la préparation de bleuets.
- Couvrir et laisser mijoter pendant 10 minutes. Retirer du feu et servir.

RENDEMENT 6 PORTIONS

1 portion = glucides : 28,7 g, protéines : 2,6 g, matières grasses : 4,2 g, fibres : 1,8 g, kJ : 666,7, kcal : 159,5
Portions du guide alimentaire canadien = produits céréaliers : 1/2, légumes et fruits : 1/2
Échanges Diabète Québec = féculents : 1/2, fruits : 1/2, matières grasses : 1, aliments avec sucre ajouté : 1
Équivalents en carrés de sucre : = 6 | **Portions d'aliments sucrés : 2**

Au plaisir de cuisiner s'ajoute la satisfaction de préparer des mets de bonne valeur nutritive et de bon goût.

BRIOCHES À LA CANNELLE

PÂTE

180 ml (3/4 T) de farine de blé entier

310 ml (1 1/4 T) de farine blanche

60 ml (1/4 T) de sucre

7 ml (1/2 c à T) de levure instantanée levée rapide

1 ml (1/4 c à t) de sel

160 ml (2/3 T) de lait

45 ml (3 c à T) d'huile

1 œuf

GARNITURE

15 ml (1 c à T) de margarine

45 ml (3 c à T) de cassonade pressée

5 ml (1 c à t) de cannelle

- Dans un bol, mélanger la moitié de la farine de blé entier et la moitié de la farine blanche. Ajouter le sucre, la levure et le sel.
- Dans un chaudron, faire chauffer le lait et l'huile jusqu'à ce qu'ils soient chauds au toucher (50ºC à 55ºC ou 125ºF à 130ºF).
- Incorporer les liquides chauds au mélange d'ingrédients secs. Ajouter l'œuf.
- Incorporer le restant des farines. Pétrir 1 à 2 minutes. Couvrir la pâte avec un linge et laisser lever 10 minutes.
- Sur une surface légèrement farinée, abaisser la pâte en un rectangle de 40 cm x 15 cm (16 po x 6 po). Saupoudrer la de farine au préalable si elle est trop collante. Étendre la margarine à l'aide d'un pinceau.
- Bien mélanger la cassonade et la cannelle. Saupoudrer sur la pâte enduite de margarine.
- En commençant par l'un des côtés le plus long, rouler la pâte. À l'aide d'un couteau bien aiguisé, couper le rouleau en 16 tranches de 2,5 cm (1 po) de largeur.
- Vaporiser 16 moules à muffins d'enduit végétal antiadhésif et y déposer les brioches. Couvrir d'un linge. Laisser lever dans un endroit chaud (le dessus de la cuisinière préchauffée, par exemple) pendant 45 minutes à 1 heure ou jusqu'à ce que la pâte ait doublée de volume.
- Cuire à 200ºC (400ºF) pendant 7 à 10 minutes ou jusqu'à ce que les brioches soient dorées.
- Servir chaud

RENDEMENT 16 BRIOCHES 1 brioche = 1 portion

1 portion = glucides : 17,8 g, protéines : 2,6 g, matières grasses : 3,9 g, fibres : 1,0 g, kJ : 480,7, kcal : 115
Portions du guide alimentaire canadien = produits céréaliers : 1
Échanges Diabète Québec = féculents : 1, matières grasses : 1
Équivalents en carrés de sucre = 4 | **Portion d'aliments sucrés : 1**

Créez une atmosphère agréable autour des repas, une table bien mise, quelques chandelles, une musique douce... ça nourrit les sens.

BARRES TENDRES

45 ml (3 c à T) de margarine
20 grosses guimauves*
1,5 L (6 T) de blé soufflé
250 ml (1 T) de raisins secs
60 ml (1/4 T) de graines de tournesol

* On peut remplacer les 20 grosses guimauves par 810 ml (3 1/4 T) de guimauves miniatures.

- Dans une casserole, faire fondre la margarine à feu doux.
- Ajouter les guimauves et les laisser fondre en brassant constamment.
- Dans un grand bol, bien mélanger le blé soufflé, les raisins secs et les graines de tournesol.
- Verser le mélange de guimauves sur le mélange de blé soufflé et bien mélanger.
- Étendre la préparation dans un grand moule d'environ 34 cm x 22 cm (13 1/2 po x 8 1/2 po) vaporisé d'enduit végétal antiadhésif. Étendre une feuille de papier ciré sur ce mélange et bien écraser pour obtenir un mélange compact. Retirer la feuille de papier ciré.
- Tailler en morceaux.

RENDEMENT 12 BARRES

1 portion = glucides : 26,6 g, protéines : 2,1 g, matières grasses : 4,4 g, fibres : 1,4 g, kJ : 606,9, kcal : 145,2
Portions du guide alimentaire canadien = produits céréaliers : 1/2, légumes et fruits : 1/2
Échanges Diabète Québec = féculents : 1/2, fruits : 1/2, matières grasses : 1, aliments avec sucre ajouté : 1
Équivalents en carrés de sucre = 5 | **Portions d'aliments sucrés : 2**

Ceux qui n'ont pas le temps pour la santé devront malheureusement consacrer du temps pour la maladie...

SAUCE AUX FRAMBOISES

300 g de framboises fraîches ou congelées (environ 500 ml ou 2T)
20 ml (4 c à t) de sucre
10 ml (2 c à t) de fécule de maïs
15 ml (1 c à T) de jus de fruits non sucré (saveur de votre choix)

- Dans une casserole, faire chauffer doucement les framboises et le sucre. Bien écraser les framboises avec un pilon à pommes de terre.
- Bien mélanger la fécule de maïs dans le jus de fruits.
- Lorsque le mélange est bien chaud, y ajouter la fécule de maïs délayée.
- Brasser jusqu'à épaississement. Laisser cuire à feu doux pendant environ 1 minute.

RENDEMENT 4 PORTIONS de 80 ml (1/3 T)

1 portion = glucides : 12,8 g, protéines : 0,6 g, matières grasses : 0,3 g, fibres : 3 g, kJ : 220,7, kcal : 52,8
Portions du guide alimentaire canadien = légumes et fruits : 1
Échanges Diabète Québec = fruits : 1
Équivalents en carrés de sucre = 3 | **Portion d'aliments sucrés : 1**

Une saine alimentation peut inclure du sucre, mais, comme pour toute chose, la modération est de rigueur. Et n'oubliez pas de vous brosser les dents.

SAUCE ANGLAISE

500 ml (2 T) de lait
20 ml (4 c à t) de fécule de maïs
125 ml (1/2 T) de sucre
3 jaunes d'œufs
5 ml (1 c à t) de vanille

- Délayer la fécule dans un peu de lait froid et ajouter au reste du lait dans une casserole.
- Ajouter le sucre, les jaunes d'œufs légèrement battus et la vanille.
- Chauffer doucement, en brassant constamment, jusqu'à épaississement (texture de sauce crémeuse).
- Laisser cuire 1 à 2 minutes.
- Réfrigérer.
- Servir sur des fruits.

RENDEMENT 6 PORTIONS de 80 ml (1/3 T)

1 portion = glucides : 22,5 g, protéines : 4 g, matières grasses : 2,5 g, fibres : 0 g, kJ : 530,4, kcal : 126,9
Portions du guide alimentaire canadien = produits laitiers : 1/2
Échanges Diabète Québec = lait : 1/2, matières grasses : 1/2, aliments avec sucre ajouté : 1
Équivalents en carrés de sucre = 5 | **Portion d'aliments sucrés : 1 1/2**

Une cuillerée de beurre, de margarine ou d'huile végétale contient environ la même quantitéde matières grasses et d'énergie (calories/kilojoules). Seul le type des gras qui les compose diffère.

GARNITURE FOUETTÉE

180 ml (3/4 T) de lait écrémé en poudre

125 ml (1/2 T) d'eau froide

5 ml (1 c à t) de jus de citron

30 ml (2 c à T) de sucre

5 ml (1 c à t) de vanille

- Dans un bol, mélanger le lait en poudre, l'eau et le jus de citron.
- Fouetter au malaxeur jusqu'à l'obtention de pics fermes ou d'apparence de crème fouettée (cette opération peut prendre de 15 à 20 minutes).
- Ajouter le sucre et la vanille, mélanger et réfrigérer.

Cette garniture fouettée doit être servie dans l'heure qui suit, sinon elle s'affaisse.

RENDEMENT 15 PORTIONS de 45 ml (3 c à T)

1 portion = glucides : 4,8 g, protéines : 2,2 g, matières grasses : 0 g, fibres : 0 g, kJ : 118,7, kcal : 28,4
Portions du guide alimentaire canadien = produits laitiers : 1/2
Échanges Diabète Québec = lait : 1/2
Équivalents en carré de sucre = 1 | **Portion d'aliments sucrés : 1/3**

Les aliments riches en vitamine C, tels les fruits citrins (oranges, citrons, pamplemousses, limes), les fruits et les légumes orange, rouges et verts, ainsi que les jus de tomate et de légumes, favorisent l'absorption du fer par l'organisme.

GLAÇAGE FROMAGÉ À LA VANILLE

1/2 paquet de 130 grammes de pouding instantané à la vanille

125 ml (1/2 T) de lait

80 ml (1/3 T) de fromage Quark

- Mélanger le pouding avec le lait. Bien brasser.
- Incorporer le fromage.

RENDEMENT 12 PORTIONS

1 portion = glucides : 6,9 g, protéines : 1,3 g, matières grasses : 0 g, fibres : 0 g, kJ : 134,6 , kcal : 32,2
Portion du guide alimentaire canadien = aucune
Échanges Diabète Québec = aliments avec sucre ajouté : 1/2
Équivalents en carré de sucre = 1 | **Portion d'aliments sucrés : 1/2**

Pour plus de variété dans vos menus, essayez une nouvelle recette par semaine. Assurez-vous d'avoir tous les ingrédients en complétant votre liste d'épicerie.

COULIS DE FRAISES

500 ml (2 T) ou 300 g de fraises	• Déposer les fraises dans un mélangeur ou un robot culinaire. Réduire en purée.

RENDEMENT ENVIRON 250 ML (1 T) 1 portion = 30 ml (2 c à T)

1 portion = glucides : 2,9 g, protéines : 0,3 g, matières grasses : 0,2 g, fibres : 0,9 g, kJ : 52,3, kcal : 12,5
Portion du guide alimentaire canadien = aucune
Échanges Diabète Québec = aliment de faible teneur énergétique
Équivalents en carrés de sucre = aucun | **Portion d'aliments sucrés : aucune**

L'activité physique, c'est bon pour le moral, car cela aide à diminuer l'anxiété, à améliorer l'humeur, à stimuler l'appétit, à dormir mieux et à avoir plus d'énergie et de vigueur. Elle augmente la qualité de vie dans son ensemble. Essayez, vous verrez !

COULIS DE KIWIS

4 gros kiwis

- Peler les kiwis et les couper grossièrement. À cette étape, vous devriez avoir obtenu environ 560 ml (2 1/4 T) de fruits coupés.
- Les déposer dans un mélangeur ou un robot culinaire. Réduire en purée.

RENDEMENT ENVIRON 250 ML (1 T) 1 portion = 30 ml (2 c à T)

1 portion = glucides : 6,8 g, protéines : 0,5 g, matières grasses : 0,2 g, fibres : 1,5 g, kJ : 116,2, kcal : 27,8
Portions du guide alimentaire canadien = légumes et fruits : 1/2
Échanges Diabète Québec = fruits : 1/2
Équivalents en carré de sucre = 1 | **Portion d'aliments sucrés : 1/2**

Une alimentation de bonne qualité est le résultat de tous les choix alimentaires effectués au fil du temps.

COULIS DE FRAMBOISES

500 ml (2 T) ou 300 g de framboises

- Déposer les framboises dans un mélangeur ou un robot culinaire. Réduire en purée.

Rendement Environ 250 ml (1 T) 1 portion = 30 ml (2 c à T)

1 portion = glucides : 3,6 g, protéines : 0,3 g, matières grasses : 0,2 g, fibres : 1,5 g, kJ : 63,1, kcal : 15,1
Portion du guide alimentaire canadien = aucune
Échanges Diabète Québec = aliment de faible valeur énergétique
Équivalents en carré de sucre = aucun | **Portion d'aliments sucrés : aucune**

PÂTE À TARTE DE BLÉ ENTIER

45 ml (3 c à T) de margarine
125 ml (1/2 T) de farine blanche
125 ml (1/2 T) de farine de blé entier
45 ml (3 c à T) à 60 ml (1/4 T) d'eau froide

- Mettre la margarine au congélateur durant environ 20 minutes pour lui conférer une texture plus dure.
- Mélanger les farines. Couper le gras dans le mélange de farines à l'aide de deux couteaux jusqu'à ce que la margarine forme des petites boules de la grosseur d'un pois. Ajouter suffisamment d'eau pour humidifier la pâte.
- Former une boule et mettre au congélateur environ 15 minutes pour la durcir, elle sera plus facile à étendre.
- Lorsque la pâte est refroidie, la mettre sur une surface légèrement farinée. Abaisser à 1 cm (1/4 po) d'épaisseur environ. Déposer dans une assiette à tarte de 1 L (9 po). À l'aide d'une fourchette, piquer la pâte à plusieurs endroits.
- Cuire à 180ºC (350ºF) pendant 20 minutes environ.

Rendement 1 abaisse

1 portion (1/6 de pâte à tarte) = glucides : 15,2 g, protéines : 2,5 g, matières grasses : 6 g, fibres : 1,6 g, kJ : 512,8, kcal : 122,7
Portions du guide alimentaire canadien = produits céréaliers : 1
Échanges Diabète Québec = féculents : 1, matières grasses : 1
Équivalents en carrés de sucre = 3 | **Portion d'aliments sucrés : 1**

Enlevez le gras visible autour de la viande avant la cuisson, cuisez-la sans gras idéalement et limitez la grosseur de la portion.

INDEX DES RECETTES

GÂTEAUX

MUFFINS

CROUSTADES

FRUITS

CRÊPES

DESSERTS AU LAIT

AUTRES DESSERTS

GLAÇAGE,GARNITURES,AUTRES